Chère lectrice,

Nous voici au ~~[barcode obscures text]~~ bres proverbes (« En avril ~~[obscured]~~ », « Mois d'avril, mois d'abîmes » etc.), mais surtout des poissons ! Vous êtes-vous déjà demandé d'où venait l'expression « Poisson d'avril ! » ?

En fait, les théories concernant ces plaisanteries ou canulars faits uniquement le 1er avril sont multiples. La plus connue dit que le roi Charles IX décida en 1564 que le premier de l'an serait dorénavant fixé au 1er janvier au lieu du 1er avril. Certains contemporains, mécontents de ce qu'ils considéraient comme une absurdité, continuèrent à célébrer le 1er avril en s'offrant quand même des étrennes. Les autres, pour se moquer d'eux, leur offrirent de faux cadeaux qui se transformèrent ensuite en canulars.

Une autre théorie explique que le 1er avril correspondait à la fin du carême chez les chrétiens, période pendant laquelle le poisson était privilégié, la viande étant interdite. Les cadeaux étaient alors de faux poissons offerts à ceux qui attendaient avec impatience de pouvoir enfin remanger de la viande.

Une autre explication serait que le soleil quittait ce jour-là le signe zodiacal des Poissons.

Enfin, cette expression pourrait venir du fait que, au Moyen Age, la pêche était interdite à cette époque de l'année, avril étant la période de reproduction des poissons.

Comme vous le voyez, les hypothèses ne manquent pas. A vous de choisir celle qui vous semble la plus probable !

Très bonne lecture,

La responsable de collection

Une nouvelle chance

LIZ FIELDING

Une nouvelle chance

COLLECTION HORIZON

éditions**Harlequin**

Cet ouvrage a été publié en langue anglaise
sous le titre :
REUNITED : MARRIAGE IN A MILLION

Traduction française de
PHILIPPE WANTIEZ

HARLEQUIN®

est une marque déposée du Groupe Harlequin
et Horizon® est une marque déposée d'Harlequin S.A.

© 2007, Liz Fielding. © 2008, Traduction française : Harlequin S.A.
83-85, boulevard Vincent-Auriol, 75013 PARIS — Tél. : 01 42 16 63 63
Service Lectrices — Tél. : 01 45 82 47 47
ISBN 978-2-2808-4166-5 — ISSN 0993-4456

Prologue

— Ta voiture est là. Ainsi que l'habituelle garde d'honneur de paparazzi.

Ivo attendait, le visage impassible. Il espérait qu'elle allait abandonner, lui dire qu'elle restait. Belle dut se forcer à contenir ses larmes.

Pourquoi ne comprenait-il pas ? Ne voyait-il pas que ce n'était pas sur un simple coup de tête qu'elle avait choisi de parcourir l'Himalaya en vélo, pendant douze jours ?

C'était important pour elle. Elle devait le faire.

Il avait exigé, à la dernière minute, qu'elle renonce à son projet pour servir d'hôtesse pendant l'un des week-ends où il invitait ses partenaires en affaires, dans sa maison de campagne du comté de Norfolk. Son but était clair : il voulait démontrer à Belle que rien — ni sa carrière, ni quelque opération médiatique pour recueillir des fonds à des fins charitables — n'était aussi important que d'être sa femme.

Qu'elle était d'abord au service de son mari.

Si seulement elle avait pu lui expliquer. Mais si elle essayait, il ne voudrait pas qu'elle reste…

— Je dois partir, dit-elle.

L'espace d'un instant, il sembla qu'il allait dire quelque chose, mais il se contenta de hocher la tête et de ramasser le sac qui contenait tout ce dont elle allait avoir besoin pendant trois semaines.

Ils sortirent. Belle sourit aux photographes. Elle fit une pause sur les marches, avec Ivo à ses côtés, puis se dirigea vers la voiture.

Pendant que le chauffeur rangeait son sac dans le coffre, Ivo lui prit la main, et la regarda avec ces yeux graves qui ne trahissaient jamais ses pensées.

— Fais attention à toi.

— Ivo…

Elle se retint pour ne pas le supplier de l'accompagner à l'aéroport.

— Je passerai par Hong Kong à mon retour. Si jamais tes affaires t'y amenaient, peut-être pourrions-nous prendre quelques jours…

Il ne fit aucun commentaire — il ne faisait jamais de promesses qu'il ne pourrait pas tenir — mais il l'embrassa simplement sur la joue et l'aida à monter dans la voiture. Elle se retourna quand le véhicule démarra, mais il remontait déjà les marches pour retourner à son travail.

Le chauffeur la déposa à l'aéroport, posa son sac sur un chariot, lui souhaita bonne chance, et elle resta seule. Non pas seule comme une femme peut l'être quand un mari débordant d'amour l'attend à la maison.

Juste… seule.

1.

« … Ainsi se termine la neuvième journée de notre grande aventure à vélo. On m'a dit que demain, le terrain serait plus facile… Belle Davenport essuya la sueur sur sa manche et sourit à la caméra. Si me voir souffrir pour une bonne cause vous émeut, songez que le moindre don que vous pouvez faire a son importance… »

Belle Davenport arrêta la caméra, appuya sur la touche « envoi », et, dès qu'elle eut confirmation de la réception du message, débrancha son téléphone satellite. Ce fut seulement à ce moment qu'elle réalisa que ce qu'elle avait pris pour de la sueur sur sa manche était en fait du sang.

— Tu sais très bien qu'il t'a délibérément fait tomber ! s'écria Claire Mayfield, la jeune américaine qui partageait sa tente.

Elle était manifestement révoltée.

— Il m'a aidée à me relever, remarqua Belle.

— Seulement après avoir pris des photos de toi. Tu devrais te plaindre aux organisateurs ! Tu aurais pu être sérieusement blessée !

— Nous ne sommes pas là pour nous plaindre, répondit Belle.

Elle présenta son visage à Simone Gray, la troisième personne du groupe, pour la laisser désinfecter l'écorchure qu'elle s'est fait sur le front en tombant, avant de s'occuper de celle de son genou.

— J'ai presque fini…, la rassura Simone. En ce monde, Claire, il ne suffit pas aux médias de te voir endurer toutes les souffrances possibles pour récolter des fonds pour les enfants malheureux. Ils veulent aussi te voir dans la boue, littéralement.

Simone était adjointe de la rédactrice en chef d'un magazine féminin australien. Elle savait de quoi elle parlait.

— Ils n'attendent tous que cela, confirma Belle.

— A Londres, d'accord, persista Claire. Et encore, je ne suis pas si d'accord que cela. Mais je suppose que dans ton métier, on s'habitue à vivre avec ce genre d'intrusions. Mais à cinq mille mètres dans l'Himalaya ?

— Sommes-nous à cinq mille mètres ? Je me croyais plus haut, remarqua Belle, avant de revenir sur le sujet :

11

— Simone a raison, Claire. Cela fait partie du jeu. Il y avait trop longtemps que j'étais bien à l'abri dans ma situation privilégiée. Il était temps que j'accepte de me mouiller un peu la chemise.

— De te mouiller un peu la chemise ?

— Ce que je veux dire, c'est que je devais quitter temporairement ma vie normale, pour ne pas avoir l'air d'une personne méprisable, qui profite égoïstement des meilleurs plaisirs de l'existence sans jamais courir le risque du moindre petit bobo. Vous savez, ce genre de personnalité de la télévision qui encourage les autres à se donner du mal, tout en restant confortablement assise sur le divan du studio, en montrant son beau sourire et en dévoilant la naissance de ses seins, juste dans la limite permise par ce type d'émission.

— Tu n'es pas comme cela ! protesta Simone.

— Non ? demanda Belle, dubitative.

— Non ! affirma Simone avec force.

Belle eut envie de protester, mais la remarque de Claire la touchait profondément.

— Peut-être pas cette fois-ci, admit-elle, en songeant à quel point il avait été facile de tromper ceux qui croyaient la manipuler. C'est incroyable, ce que l'on peut obtenir lorsque l'on sait se faire passer pour une idiote.

— Quoi ? Tu voulais vraiment venir ?

— Chut ! dit-elle en levant un doigt à sa bouche. Les tentes ont des oreilles ! Il a suffi de dire « Si nous envoyons quelqu'un faire cette traversée de l'Himalaya en vélo, cela aura un énorme retentissement. Sans compter que nous contribuons à une action utile pour un problème sensible. Pensez à l'impact sur le public ! » Ensuite j'ai glissé « Qui pourrions-nous bien envoyer ? » en frissonnant juste ce qu'il fallait, et le directeur a tout de suite imaginé à quel point les médias aimeraient me voir sale et dégoulinante de sueur sur un vélo. De quoi faire exploser l'audimat !

Pour Belle, cela en valait la peine : la cause la touchait particulièrement, et elle pourrait la soutenir publiquement sans que l'on se demande pourquoi elle y tenait tellement.

Néanmoins, de savoir qui tirait les ficelles la mettait quand même un peu mal à l'aise. Là où elle était à présent, dans l'air raréfié par l'altitude, au milieu de gens qui s'autofinançaient, qui agissaient sans la publicité qu'attire inévitablement une personnalité médiatique cherchant à animer une campagne de dons, elle avait l'impression d'être une tricheuse. D'être le genre de célébrité qui fait tout pour se mettre sous les feux de la rampe, pour maintenir en vie un mariage moribond — parce que, sans tout cela, elle ne serait rien.

Elle repoussa cette pensée.

— Si tu crois que tout cela est fait pour les enfants plutôt que pour les indices d'écoute, Claire, tu surestimes largement la probité de ceux qui font la télévision du matin.

Ce que sa société voulait, ce qui faisait les délices des médias, c'était l'image de Belle Davenport, d'habitude si glamour, en train de pédaler, les cheveux en bataille et le visage congestionné par le manque d'oxygène. Sinon, pourquoi aurait-on sponsorisé sa participation à cette équipée ? Mais au bout d'une semaine, il semblait que la sueur ne suffisait plus pour contenter le dieu audimat : il fallait enchérir avec du sang et des larmes.

Aujourd'hui, ils avaient eu du sang. Nul doute que sa manche ensanglantée ferait la une de tous les journaux, le lendemain. Eh bien, lorsqu'elle rentrerait, elle ferait honte à tous ces gens en signant un gros chèque pour sa cause.

Mais il n'était pas question qu'on la voie pleurer.

— C'est plutôt intelligent, reconnut Claire en souriant.

— Il faut plus que des cheveux blonds et une poitrine généreuse pour faire carrière à la télévision, remarqua Simone. Si on résume la situation, les enfants vont recevoir de l'argent et de l'attention pour

14

leur malheur et la chaîne va enregistrer un meilleur taux d'écoute. Et toi, Belle, quel avantage retires-tu de tout cela ?

— Moi ?

— Tu aurais pu rester chez toi, à faire sangloter tes téléspectateurs, mais tu as voulu absolument venir. Dans quel but ?

— A part celui de voir ma photo dans tous les journaux ?

— Tu n'as pas besoin de publicité.

— Tout le monde a besoin de publicité. Oh, non, je voulais juste faire preuve d'honnêteté. N'est-ce pas pour cela que l'on fait ce genre de choses ?

— Si c'est le but, répondit Claire, cela ne marche pas. Je me sens seulement fatiguée et courbatue.

— Peut-être que la satisfaction vient plus tard, dit Belle.

Elle savait qu'elle n'était pas la seule à s'être donné du mal pour être là. Elle savait très bien — même si elle n'aimait pas cela — que lorsque les journaux à sensation fouillaient votre vie afin de trouver des scandales susceptibles de les servir, ils le faisaient sans vous en vouloir personnellement.

Pour Claire, issue d'un milieu fortuné, qui avait un emploi sur mesure dans l'empire de son père, les critiques de la presse avaient eu un impact très personnel.

Oh, et puis, elles leur montreraient ! Belle continua :

— En attendant, j'ai perdu du poids, j'ai gagné du tonus musculaire, et des ampoules…

— Non, l'interrompit Simone.

Pourquoi son visage était-il soudain si sombre ?

— Quel avantage vas-tu retirer de cela ? insista-t-elle. Sérieusement ?

— Sérieusement ?

Son regard passa de Claire à Simone. Elle réalisa que l'atmosphère sous la tente s'était alourdie.

Elle respira profondément. « Sérieusement » voulait dire regarder la vérité en face, y changer quelque chose. Mais elle voulait oublier la publicité, les caméras — c'était le but de son voyage. Sortir de son confort habituel. Accomplir quelque chose de vrai. Sauf que ce n'était pas vraiment ce qu'elle faisait. Elle continuait à se cacher. Du monde. De son mari. Et, par-dessus tout, d'elle-même.

— On peut voir tellement loin d'ici, commença-t-elle, sans savoir où cette argumentation allait la mener. Lorsque nous avons fait une pause pour boire un peu, cet après-midi, j'ai regardé derrière moi,

16

et nous avions parcouru toute la route qui montait depuis la vallée.

Ses yeux allèrent de la grande Australienne élancée à la petite Américaine menue qui partageaient sa tente. Toutes les trois s'occupaient de leurs écorchures, se massaient mutuellement, mangeaient ensemble. Elles avaient ri, et fait route ensemble, depuis le moment où elles avaient partagé un taxi qui les avait emmenées de l'aéroport à l'hôtel. A leur arrivée, elles s'étaient toutes les trois demandé ce qu'elles faisaient là, à la fois effrayées et excitées par le défi qu'elles relevaient. Elles semblaient être trois femmes qui avaient tout, ou presque, et pourtant chacune avait l'impression de percevoir un besoin chez les autres.

Elles s'étaient bien entendu dès le départ, et étaient devenues amies.

L'expérience était nouvelle pour Belle. Elle n'avait jamais eu de copines ou d'amies. Elle n'en avait jamais eu la possibilité, depuis son enfance, où elle s'était battue pour survivre dans un foyer, jusqu'au milieu impitoyable de la télévision.

Les patrons des médias, les journaux à sensations, tout le monde l'utilisait pour gagner de l'argent, d'une manière qui inspirait le mépris à sa belle-sœur. Quant à son mari, le riche magnat Ivo Grenville, dont les yeux brillaient de désir — la seule chose qu'il était incapable de contrôler — il se méprisait lui-même de l'avoir désirée au point de faire le sacrifice ultime, et de l'épouser.

Aucun des deux n'avait cherché à voir derrière le masque de superbe blonde pulpeuse qu'elle n'avait pas choisi. Mais elle ne pouvait les blâmer : elle l'entretenait, cette image, mais elle seule en connaissait la maigre consistance.

Ces deux femmes, deux étrangères qu'elle avait rencontrées deux semaines plus tôt, en savaient plus sur elle que la plupart des gens. Elles connaissaient ses points faibles, pour avoir partagé quelques jours de sa vie. Toutes les trois, en apparence, avaient tout : Claire était la fille d'un des hommes les plus riches du monde et Simone s'était hissée à une position élevée, dans un domaine professionnel où les places étaient chères. Mais les apparences étaient trompeuses. Claire et Simone lui avaient permis d'entrevoir des aspects de leur vie que très peu de gens connaissaient, et qui lui donnaient à penser que toutes deux comprendraient ce qu'elle éprouvait lorsqu'elle se retournait pour contempler la route parcourue.

Celle-ci était raide, avec de nombreux virages serrés — une métaphore de sa vie. Puis, avant de ne plus pouvoir s'arrêter, elle préféra changer de sujet et demanda :

— Combien de temps cette torture va-t-elle encore durer ?

— Trois jours, dit Simone.

— Trois jours ? Est-ce que je peux survivre trois jours de plus sans un lit décent, des vêtements propres ? interrogea Claire.

— Sans un bain chaud.

— Sans manucure, ajouta Belle, qui s'intéressait moins à ses ongles, pourtant en triste état, qu'au soulagement de voir que la séance d'introspection était maintenant passée.

Elle jeta un coup d'œil à ses ongles, si parfaits d'habitude, mais tellement incrustés de poussière que toute l'eau du monde ne suffirait pas à les nettoyer.

— Quelle sera la première chose que tu feras quand nous serons dans cet hôtel à Hong Kong ? demanda-t-elle.

— Après avoir pris un bain chaud ? répondit Claire. Appeler la réception pour me faire servir du saumon fumé, du pain de seigle tout frais et du beurre. Avec un gâteau au chocolat comme dessert.

— Cela me convient, commenta Belle, avec du champagne en plus.

— Je vote pour commencer directement par le gâteau au chocolat, ajouta Simone. Et un spa pour mieux en profiter.

— L'idée est bonne, approuva Claire, mais ton mari ne va-t-il pas avoir ses propres plans, pour le spa ?

— Ivo ?

— Il vient bien te retrouver ?

Elle se permit de rêver un instant : Ivo présent pour l'accueillir à la fin de son périple, et qui la prendrait dans ses bras pour l'emmener faire tendrement l'amour.

— Non.

Elle aurait pu fournir l'excuse habituelle — son travail le retenait — mais elle n'en avait aucune envie.

— Pour vous dire la vérité, il n'était pas favorable à ce que je fasse tout cela.

— Tu plaisantes ? s'étonna Claire. Je croyais qu'il était à fond derrière toi. J'ai vu vos photos dans les magazines. La manière dont il te regarde… Vous avez l'air de former le couple parfait.

— Tu parles d'articles du genre… Le sexe-symbole de la télévision, Belle Davenport, arrive à une soirée royale de gala avec son mari, le milliardaire Ivo Grenville ?

Les paparazzi ne manquaient jamais de photographier Ivo en train de l'aider à sortir de sa voiture, avec cette expression de désir brûlant qui avait fait couler tant d'encre sur leur mariage dans une île tropicale.

Au moins il y avait une vérité dans tout cela : le désir d'Ivo était bien réel. Pour le reste…

— Désolée de vous décevoir, mais pour lui, je suis vraiment une femme-objet, épousée pour mettre en valeur son mari.

La seule différence avec le schéma classique d'une telle situation, songea-t-elle avec amertume, était qu'il n'avait pas abandonné une autre femme pour elle. C'était plutôt elle qui avait renoncé à beaucoup de choses et s'était privée de l'espoir d'avoir une vie normale et des enfants.

— Il avait organisé un week-end avec partie de chasse, la semaine dernière, dans sa propriété du Norfolk. Pour les affaires. Il voulait que je m'y exhibe. L'hôtesse la plus superbe qui soit. Inutile que j'explique où je suis la plus superbe ? précisa-t-elle en prenant une attitude suggestive.

— Tu as bien plus, affirma Simone. Pour réussir à la télévision, il faut plus qu'une paire parfaite de bonnets D. Le genre de réception que tu donnes doit exiger beaucoup d'organisation.

— Ce n'est pas moi qui m'en charge.

C'était sa belle-sœur, secrétaire d'Ivo, qui avait reçu une éducation des plus raffinées, avec un séjour dans l'un des meilleurs pensionnats en Suisse, et des cours pour préparer les jeunes filles à évoluer dans la haute société. Un autre monde…

— Je suis juste là pour montrer à ses concurrents qu'il peut tout avoir, et que rien ne lui résiste.

— Oh, Belle…

Claire ne savait plus quoi dire, mais Simone fut plus directe.

— Si ton mariage se résume à cela, pourquoi restes-tu avec lui ?

— Sincèrement ?

Ce n'était vraiment pas l'endroit qui convenait aux mensonges, songea Belle. Dans un air si pur…

— Pour la sécurité. La certitude qu'en étant mariée avec lui, je ne connaîtrai plus jamais la faim, la peur…

C'était la vérité, mais pas tout entière. Le besoin de sécurité, elle voulait bien l'admettre. Tomber amoureuse de lui avait été sa grande erreur…

— Mais tu es intelligente, et tu as réussi par toi-même…

— Vraiment ? C'est peut-être vrai en apparence, mais pas un jour ne s'écoule sans que j'aie peur d'être montrée comme ce que je suis réellement : une tricheuse, dont la seule aptitude est de savoir se faire passer pour ce qu'elle n'est pas. Il faut voir la vérité en face : personne n'est davantage bonne à rien, et inemployable, qu'une présentatrice de télévision qui a dépassé la date limite de fraîcheur.

Belle exagérait, bien sûr : elle n'était pas dépensière, et Ivo avait habilement placé son argent, la mettant pour toujours à l'abri du besoin. La seule chose dont elle avait besoin, de sa part, était celle qu'il était incapable de lui donner : lui-même.

Il y avait un vide affectif au cœur de sa vie, qui était déjà là bien avant qu'elle ne rencontre Ivo. Il n'était pas le seul qui soit incapable de s'engager sans réserve dans une relation. Elle était tout aussi responsable de cet échec. A présent, il était temps d'en tirer les leçons. D'en rester là.

Elle le savait depuis longtemps, mais elle n'avait jamais eu le courage de faire face aux conséquences.

— Si vous voulez la vérité sans fard, je hais ma carrière, je hais mon ménage…

Ce n'était pas qu'elle le reprochait à Ivo. Il était prisonnier de ses hormones, comme elle l'était de ses peurs.

— En fait, je hais ma vie. Non, je rectifie. Je me hais moi-même.

— Belle, il ne faut pas…

— J'ai une sœur, quelque part. Je l'ai perdue

le long du chemin. Je ne l'ai pas revue depuis ses quatre ans.

— Quatre ? s'étonna Claire. Qu'est-il arrivé ? Votre famille s'est séparée ?

— Famille ? Je ne suis pas comme toi, Claire. Ou comme Simone. Nous sommes là pour recueillir de l'argent pour les enfants abandonnés, pas vrai ? Eh bien, j'en suis une. C'est pour cela que cette cause me tient tant à cœur. Et que je suis là. Mon vrai nom est Belinda Porter, et j'ai connu une époque où mon foyer, c'était la rue.

Elle n'avait jamais raconté à personne sa véritable histoire. Au contraire, elle avait tout fait pour l'oublier. Même Ivo l'ignorait. Elle lui avait servi la version inventée de sa vie : des parents adoptifs pleins d'amour — qu'elle avait, fort commodément, fait périr dans un accident de voiture — puis des études de gestion en fac — à la place du boulot sans avenir où elle avait échoué à la sortie de l'école, comme hôtesse dans un centre d'appel. Le seul épisode vrai était celui où, par un coup de chance extraordinaire, elle avait été « découverte » en direct en passant à l'antenne lors du téléthon. Tout le monde connaissait cette histoire.

Comment pouvait-elle lui reprocher sa froideur, son manque d'affection, alors qu'elle lui avait caché la plus grande partie de sa vie ? Un mari mérite mieux que cela.

— Ma mère, ma sœur et moi ne demandions qu'à vivre. Comme les enfants que nous voulons aider.

Pendant quelques instants, personne ne parla.

Puis Claire désira en savoir plus :

— Que lui est-il arrivé, Belle ? A ta sœur ?

— Rien. Rien de grave. Notre mère est morte. Les services sociaux ont fait ce qu'ils ont pu, mais il était évident dès le début que j'avais un caractère impossible. Ma sœur Daisy était encore assez jeune pour s'adapter. Et elle était si jolie. Des mèches blondes, des yeux bleus. Une vraie poupée. Une assistance sociale m'a clairement exposé les choses : si pour moi, il était trop tard, ma sœur, elle, avait encore la possibilité de connaître une vraie vie de famille.

— Cela a dû faire mal.

Belle fut heureuse que Claire devine à quel point il était douloureux de ne pas être désirée.

— C'est étrange. C'est moi qui ai reçu un nom de poupée. Belinda. Peut-être ma mère voulait-elle marquer son regret de l'innocence perdue. Ce prénom ne m'a jamais convenu. Je n'étais pas ce genre de fille.

— Tu as les cheveux blonds.

— Merci, Claire, mais c'est grâce à un coiffeur de Knightsbridge qui pratique des prix astronomiques.

Il va avoir une attaque quand il verra à quoi son travail est réduit.

Elle prit sa trousse de couture. Il n'y avait personne ici pour s'occuper de sa garde-robe, et, si elle ne recousait pas son pantalon, la déchirure claquerait au vent.

— Daisy était différente. Je la détestais telle-ment, parce qu'elle savait sourire à n'importe qui ! Elle souriait tant que les gens ne demandaient qu'à s'occuper d'elle. Je la détestais tant que j'ai laissé quelqu'un l'adopter. Je l'ai perdue.

— Moi aussi, j'ai perdu quelqu'un.

Claire, soudain au centre de l'attention, haussa légèrement les épaules.

— Peut-être est-ce parce qu'ici, la vie est toute simple, réduite aux éléments de base. Rien ne distrait votre esprit, il n'y a pas le train-train quotidien pour vous empêcher de penser. Ici, on a tout le temps de se souvenir, de rappeler à sa conscience ce que l'on avait voulu oublier, parce que cela n'avait pas de place dans votre existence.

— Qui as-tu perdu, Claire ? demanda Simone.

— Mon mari, Ethan. Un type bien, qui travaillait dur…

— Je n'aurais pas imaginé que tu avais été mariée, remarqua Belle.

26

— En dehors de ma famille, personne n'est au courant. Un petit mariage qui s'est terminé discrètement, par décision de justice.

— Si simplement que cela ? C'est impossible !

— Vous seriez surprise de savoir jusqu'où va le pouvoir de l'argent… J'avais vingt et un ans, j'étais prête à tout pour échapper à l'emprise de mon père. Mais ce n'est pas si facile. Il a payé mon mari pour qu'il disparaisse. J'étais faible, je l'ai laissé faire.

— Vingt et un ans ? Tu étais presque une enfant !

— Assez grande pour ne pas être aussi stupide. J'aurais dû être plus forte. J'ai beaucoup repensé à lui, ces derniers jours. Peut-être est-ce l'effet de ces montagnes… Je travaille pour mon père, mais aux yeux de tous mes collègues, je suis payée à ne rien faire, dans un emploi de pure représentation. Je suis une enfant gâtée qui ne se préoccupe que de sa prochaine visite chez la manucure et de ses achats de haute couture. Je me suis engagée dans cette aventure pour casser cette image, pour me prouver que je vaux mieux que cela.

— Est-ce que le fait de retrouver Ethan t'aiderait ? demanda Belle. Il a bien accepté de partir avec l'argent de ton père.

— Pourquoi aurait-il refusé ? Moi, je n'ai rien fait,

27

rien dit pour l'en dissuader. Il y avait de quoi saper sa confiance en lui, vous ne croyez pas ? Oui, j'aurais besoin de le retrouver, de m'assurer qu'il va bien. Plus que cela, j'ai besoin qu'il me pardonne. S'il y parvient, peut-être pourrai-je me pardonner moi-même.

Simone, qui était longuement restée silencieuse, prit la parole.

— Te pardonner ? Et qui pourrait me pardonner, moi ?

Comme Claire un peu plus tôt, elle se sentit subitement incapable de garder pour elle ce qu'elle avait vécu. Ce fut comme si un barrage s'était rompu. En larmes, elle confia une histoire si terrible que la perte subie par Belle paraissait supportable, en comparaison.

Lorsqu'elle eut fini son histoire, il y eut un silence. Simone s'attendait à être totalement rejetée. Au contraire, Belle et Claire l'entourèrent de leurs bras.

— Je ne peux pas croire que je vous aie dit tout cela, confia Simone.

— Je ne peux pas croire que tu l'aies gardé si longtemps pour toi, répondit Claire.

— Il semble que chacune d'entre nous ait besoin de faire la paix avec son passé, observa Belle.

— Ce voyage ne sera pas fini lorsque nous prendrons un bain chaud à l'hôtel, murmura Claire. Ce n'est que le début.

— La partie la plus facile, renchérit Belle.

— Mais au moins nous ne serons plus seules. Chacune d'entre nous pourra compter sur les autres.

— Vraiment ? Tu seras de retour aux Etats-Unis, Simone sera en Australie, et moi en Angleterre, à la recherche de Daisy. Elle peut être n'importe où. Je pourrai aussi être n'importe où.

Belle ferma les yeux. L'espace d'un instant, la peur fut si forte qu'elle regretta d'avoir ainsi regardé derrière elle. C'était à l'avenir qu'elle devait songer, pas au passé, dont les démons la poursuivaient. Comme si elles percevaient sa peur, Claire prit l'une de ses mains, Simone l'autre.

— Ce n'est pas seulement Daisy que je dois retrouver. Je suis prisonnière de mon image depuis tellement longtemps que je ne sais plus qui je suis. J'ai besoin de sortir de toutes ces apparences.

— Belle, conseilla Simone, ne fais rien de précipité. Ivo peut t'aider.

— Non, il y a trop longtemps que je m'appuie sur lui comme sur une béquille. Il y a des voyages que l'on doit faire seule.

— Non, pas seule, la reprit Claire. Nous sommes là.

— Nous serons là pour t'aider, assura Simone. Nous pourrons garder le contact par e-mail, vingt-quatre heures sur vingt-quatre, puisque nous vivons dans trois fuseaux horaires différents !

Elles se serrèrent les mains, trop émues pour parler.

Belle n'avait prévenu personne de la date de son retour. Si elle l'avait fait, la direction de la chaîne lui aurait envoyé une voiture, ou la sœur d'Ivo l'aurait fait chercher par le chauffeur. Mais comme elle avait pris la décision de renoncer à son mariage comme à son emploi, il paraissait hypocrite de profiter encore de l'un ou de l'autre.

Ou peut-être stupide, se dit-elle en prenant la direction du métro. Il allait quand même falloir qu'elle aille à son travail, jusqu'à l'expiration de son contrat, à la fin du mois.

Il faudrait aussi faire face à son agent, qui en négociait d'autres au même moment. Il ne comprendrait jamais.

Elle n'était pas sûre de comprendre elle-même. Tout avait semblé si simple, là-haut, dans les montagnes, quand elle avait conclu ce pacte avec Claire et Simone, se promettant toutes les trois de changer leur vie, et

30

scellant cet engagement avec leur dernière barre de chocolat.

De retour à Londres, elle se sentait très seule. Elle frissonna lorsque la rame arriva dans la station.

Elle y monta, s'installa et sortit automatiquement un livre pour éviter de regarder en face les autres passagers. La précaution était sans doute superflue : qui l'aurait reconnue sans son maquillage, avec le turban qui couvrait ses cheveux, pour cacher les dégâts causés à sa coiffure ?

Qu'il était facile de passer sans transition de la célébrité à l'anonymat !

Sans l'attention constante de tous les gens qui soignaient sa beauté, son image, et qui la vendaient, que serait-elle ?

Allait-elle sombrer dans le gouffre, comme sa mère ?

La peur la submergea, lui criant d'abandonner ses grands idéaux, de se réfugier dans le confort matériel qui l'attendait encore, et d'être heureuse d'avoir au moins cela !

Daisy n'avait pas besoin d'elle.

Selon toute vraisemblance, elle avait même oublié l'existence de sa sœur. A quoi servirait de faire irruption dans sa vie, qui se passait sans doute très bien, et de la bouleverser au nom de souvenirs qu'il valait mieux ne pas réveiller ?

Ne serait-il pas plus habile, et modeste, de retrouver discrètement sa trace, de savoir ce dont elle avait besoin et de l'aider de loin, voire anonymement, comme elle aidait les enfants en difficulté ?

Daisy avait dix-neuf ans. Elle était sans doute à l'université. Elle serait probablement très embarrassée de faire face à une sœur dont le succès était dû en grande partie à son tour de poitrine.

Il y avait pire. Lorsque la presse découvrirait qu'elle avait une sœur — et elle le saurait, c'était inévitable — elle ne les lâcherait plus. A son âge Daisy n'avait pas besoin de cela. Il y avait d'autre manière de l'aider. Sa sœur devait avoir besoin d'un logement : elle pourrait y pourvoir. Ivo saurait…

Non, pas Ivo. Elle trouverait sans lui.

Elle sortit de la station pour se trouver face à un homme qui vendait le journal des S.D.F. Résistant à cette envie de fuir qui la prenait chaque fois, elle en acheta un exemplaire, fit savoir au vendeur de garder la monnaie, et s'éclipsa en chassant l'idée qu'elle aurait pu faire plus.

Le chauffeur de taxi hocha la tête lorsqu'elle donna son adresse.

— Bienvenue au pays, mademoiselle Davenport.

— Le déguisement ne marche donc pas ? fit-elle avec un sourire.

— Il faudrait porter un sac de papier sur votre tête, mademoiselle.

Elle monta et s'installa sur le siège arrière.

— Ma femme va être folle quand je lui dirai que je vous ai transportée. Elle a suivi votre expédition. Elle a même fait un don.

— C'est très généreux. Comment s'appelle-t-elle ?

Elle mémorisa le nom pour le mentionner à l'antenne, discuta quelques minutes, puis sortit son téléphone portable et l'alluma.

Il chercha un réseau local, puis la prévint qu'elle avait dix-sept nouveaux messages.

« Rappelez-nous, s'il vous plaît… » Une longue série de messages commençait ainsi. Il y en avait de son agent, du directeur de son programme…

Elle lut ensuite « Je regrette que tu ne sois pas ma sœur, Belle. Bonne chance. » C'était Claire qui l'avait envoyé avant de prendre son avion pour les Etats-Unis.

Le suivant était de Simone. « As-tu aussi peur que moi ? » Peur ? Simone ? Elle qui était brillante, presque parfaite, et comme Claire, était hantée par un secret difficile à porter.

Elle les avait laissées à l'aéroport de Hong Kong, et les quitter lui avait paru aussi pénible que de s'arracher un bras. Et à présent, leurs messages lui parvenaient au moment où sa résolution allait s'effondrer.

— Nous sommes arrivés, mademoiselle Davenport.

— Un instant.

« Je le regrette aussi », répondit-elle à Claire.

C'était vrai. Si Claire était sa sœur, elle n'aurait pas besoin d'affronter tout ce qui l'attendait.

Pour Simone, elle commença par « Nous ne sommes pas obligées de faire cela... » Sauf que ce n'était pas ce que Simone espérait de sa part. Ce à quoi elles s'étaient engagées. Simone avait besoin de l'encouragement, du soutien que chacune des trois avait promis aux autres. Pas d'une permission de reculer à la dernière minute, donnée par une personne qui s'apprêtait à faire la même chose.

Une semaine plus tôt, dans l'air pur des montagnes, en compagnie des deux femmes à qui elle avait pu se confier, pour la première fois de sa vie d'adulte, il lui avait semblé entrevoir quelque chose de rare et précieux, qui pouvait être à elle si elle avait le courage de chercher à l'obtenir.

Dès qu'elle avait remis le pied à Londres, tout s'était mis à lui rappeler les affres de son enfance, à menacer de la ramener d'où elle venait, à la terrifier tellement qu'elle n'aspirait plus qu'à une chose : aller s'enfermer dans sa cage dorée.

Elle regarda le téléphone et réalisa que le message qu'elle allait envoyer — qu'elle décide de combattre, ou de s'enfuir — allait décider du reste de sa vie.

Elle ferma les yeux, se revit quelques jours plus tôt, et composa un nouveau message.

« Je meurs de peur. Mais nous pouvons le faire. »

Et elle appuya sur la touche « envoyer. »

C'était une belle résolution, songea-t-elle en descendant du taxi, devant la belle demeure de Belgravia, quartier cossu de Londres, où la famille de son mari habitait depuis des générations.

Il ne restait plus qu'à la tenir.

2.

Belle entra par la porte grande ouverte, pour se trouver aussitôt au milieu d'une armée de fleuristes et de traiteurs. Elle maîtrisa une envie de fuir à toutes jambes. Sa belle-sœur préparait encore une de ces réceptions d'affaires si importantes, qu'elle organisait avec autant de minutie qu'un général mettant au point une campagne militaire.

Incapable de supporter cette situation une seconde de plus, elle se réfugia dans la bibliothèque, où elle savait qu'elle trouverait son mari.

Le fait qu'on était samedi, à 9 heures du matin, ne faisait aucune différence pour Ivo Grenville. Simplement, au lieu de travailler à son bureau, il travaillerait chez lui.

Lorsqu'elle ouvrit la porte, il ne leva pas les yeux, lui accordant un répit de quelques précieuses secondes pour le regarder, et fixer son image dans sa mémoire.

Il avait le coude posé sur son bureau, les doigts sur le front, et le monde se réduisait au document devant lui.

Il avait cette aptitude à se concentrer sur une seule chose en excluant toutes les autres, qu'il s'agisse de l'acquisition d'une nouvelle société, d'une conversation dans l'ascenseur avec son employé le plus humble, ou de faire l'amour à sa femme. Il faisait tout avec la même attention au détail, le même perfectionnisme. Si seulement, ne serait-ce qu'une fois, il avait un moment de faiblesse, comme cela arrivait au reste de l'humanité, s'il cessait une seule fois d'être infaillible…

Elle remarqua les sillons sur son front, et une petite tache d'argent dans ses cheveux noirs. Il travaillait trop dur, songea-t-elle. Il s'imposait des horaires que son personnel aurait considéré inhumains. Elle aurait bien aimé pouvoir l'entourer de ses bras, le détendre…

Etre sa femme.

Il continua à lire quelques instants, puis se rappelant le bruit de la porte, il se tourna vers elle, la prenant au dépourvu.

— Belle ?

Il se leva, prononçant son nom comme s'il ne pouvait croire que ce soit elle. Ce n'était pas surprenant : il ne l'avait jamais vue ainsi. L'avantage de faire chambre à part était que son mari ne la voyait jamais avec les traits fatigués, la mine mal réveillée ou les cheveux en bataille.

— Je ne t'attendais pas avant demain.

Ce n'était pas vraiment une accusation, mais pas non plus l'expression de la joie qu'éprouve un mari à voir revenir son épouse.

— J'ai changé de vol.

— Comment es-tu venue de l'aéroport ? Si tu avais appelé, Miranda aurait envoyé la voiture.

Pas lui, mais son omniprésente petite sœur. Comme toujours. Aussi parfaite qu'Ivo lui-même. Trop riche pour s'embêter à construire une carrière professionnelle, elle attendait simplement qu'un homme, qui soit son égal en éducation et en fortune, réalise qu'elle ferait l'épouse idéale. Que Dieu vienne en aide à ce malheureux ! se disait Belle.

C'était Miranda la châtelaine, qui dirigeait la maison et veillait à ce que tout soit organisé, avec une précision mécanique, pour le bon déroulement de l'emploi du temps de son frère. Au retour de leur lune de miel, c'était Miranda qui lui avait réservé une suite séparée, pour que ses levers matinaux ne dérangent pas Ivo.

C'était la règle inviolable de cette maison. Rien ne devait jamais déranger Ivo.

Même pas sa femme.

Il n'était pas étonnant qu'elle ait l'impression de n'être qu'une invitée !

Même à présent, il eût été de bon ton qu'elle s'excuse d'être en avance. En fait, elle n'avait pas appelé Ivo pour l'avertir de son changement de vol car un tel coup de téléphone aurait été l'expression d'un espoir : qu'il vienne lui-même en voiture l'attendre à l'aéroport. Tout comme elle avait espéré qu'il vienne la retrouver à Hong Kong, en dépit de ce qu'elle avait pu dire à Claire et Simone.

Elle ne cessait jamais d'espérer.

En hésitant quelques instants avant de lever les yeux, il lui avait donné le temps de se reprendre, de remettre en place la carapace protectrice derrière laquelle elle abritait ses véritables sentiments.

— Il était plus simple d'emprunter le métro. Non, ajouta-t-elle en le voyant se diriger vers elle, je viens de voyager vingt-quatre heures. Il ne faut pas me toucher.

L'espace d'un instant, il parut avoir envie de la contredire. Ce fut sa deuxième hésitation. D'habitude, c'était plutôt elle qui vivait dans l'incertitude, toujours inquiète de commettre la maladresse qui mettrait fin à son mariage.

Dehors, dans son métier, elle n'avait pas besoin de réfléchir. Elle savait quoi faire en toutes circonstances.

Le soir, dans les feux de la passion, qui emportaient toute la retenue de la journée, il semblait que tout était possible.

Mais ensuite, il n'y avait plus aucune tendresse, aucun échange. Dès qu'ils étaient levés, il ne s'intéressait plus qu'à son travail. Le monde de Belle lui était étranger.

Elle n'avait jamais su assumer le rôle d'épouse. Mais cela n'était pas nécessaire. Miranda le faisait très bien, dans tous les domaines sauf un. Belle n'était nécessaire que comme partenaire sexuelle.

— Pouvons-nous parler, Ivo ?

— Parler ? Maintenant ?

— Oui, maintenant.

— Tu ne veux pas te mettre à l'aise ? Prendre un bain ?

A l'évidence, il avait des préoccupations plus importantes.

— Pour l'amour du ciel, Ivo, nous sommes samedi ! Les bourses sont fermées !

— Ce n'est pas… Il me faut dix minutes, quinze au maximum.

N'importe quel autre homme aurait pris le temps de l'accueillir, de lui demander comment elle allait, de lui exprimer sa joie de la voir de retour. Mais pour Ivo, les affaires passaient toujours en premier.

— Pourquoi ne montes-tu pas ? Je te rejoindrai dès que j'aurai fini ceci. Nous pourrons parler à ce moment-là.

Non. Quinze minutes après, elle serait sous la douche, où il la rejoindrait effectivement, mais pour montrer avec son corps à quel point elle lui avait manqué — ce qu'il était incapable de dire avec des mots.

La seule chose qu'ils ne feraient pas serait de parler.

Ensuite, après avoir tout oublié le temps de faire l'amour, elle se réveillerait. Seule, comme toujours. Il serait de nouveau au travail — et elle trouverait un cadeau à côté d'elle, quelque chose de précieux, digne de l'épouse d'Ivo Grenville. Ce serait pour lui une manière de s'excuser, de dire qu'il avait été égoïste en s'opposant à son excursion dans l'Himalaya. Elle porterait ce bijou en silence, pour accepter ses excuses sans un mot.

Mais pas aujourd'hui, se dit-elle, la main tenant le téléphone portable, dans sa poche — lien direct avec Claire et Simone, qui la connaissaient mieux que son mari. Elles avaient discuté avec Belle de leur vie, du passé, de l'avenir ; elles avaient écouté comme son mari ne pourrait jamais le faire. Sans leur soutien, elle n'aurait jamais trouvé la force de sortir du rôle dans lequel il la cantonnait. Il était peut-être satisfait de leur relation — pourquoi ne l'aurait-il pas été ? — mais elle avait besoin de plus, de beaucoup plus.

Il demeura impassible, avec ses traits aristocratiques, et sa bouche qui pouvait faire perdre à Belle tout sens des réalités. Elle éprouva une immense difficulté à prononcer les mots qui allaient mettre fin à leur mariage.

— Ce n'est pas facile…, commença-t-elle.

— Alors je te conseille de rester au niveau le plus simple.

— Oui. Oui… Je suis désolée, mais je ne peux plus continuer à vivre avec toi, Ivo. Je te libère de ton engagement.

— Libère ?

— Nous avons toujours dit que nous n'étions pas unis pour toujours. Que chacun des deux pouvait reprendre sa liberté à tout moment. Eh bien, je reprends ma liberté, Ivo.

Elle n'avait pas pu prévoir ce qui se passerait, mais

une fois de plus, il n'eut aucune réaction perceptible. Il avait toujours été ainsi. Le fait qu'il pouvait demeurer impassible en de telles circonstances confirma à Belle ce qu'elle avait toujours perçu dans leur mariage — mais, jusqu'à aujourd'hui, sans avoir le courage d'y faire quoi que ce soit.

La réponse, lorsqu'elle vint finalement, fut purement pratique.

— Où vas-tu aller ?

C'était tout ?

Même pas « pourquoi ? » — comme s'il le savait déjà — mais « où ? »

— Cela a-t-il de l'importance ?

— Oui… Il faut que Miranda sache où faire suivre ton courrier.

Elle eut envie de dire quelque chose de très grossier sur Miranda, mais se retint. Ce n'était pas elle la responsable. Et elle n'avait aucune raison de se cacher. Elle ne faisait que prendre ses distances.

— Les locataires de mon appartement sont partis le mois dernier. Je vais rester là.

— Mais cela ne conviendra pas…

— C'est ce que je veux, coupa-t-elle avant qu'il ne puisse prendre la situation en mains et lui trouver un logement qu'il juge plus acceptable pour quelqu'un qui porte son nom.

Il n'eut pas l'air très heureux d'entendre cela, mais il laissa passer et ajouta simplement :

— Est-ce tout ?

« Non ! »

Son cœur hurla ce mot, mais elle garda la bouche fermée. N'obtenant aucune réponse, il hocha la tête et retourna à son bureau, reprendre le travail qu'elle avait interrompu.

Il ne resta plus à Belle qu'à s'en aller.

En bas de l'escalier, elle croisa Miranda.

— Belle, que faites-vous là ? Je ne vous attendais pas avant demain.

— C'est un plaisir de vous voir, lança-t-elle sans se retourner.

Ivo Grenville fixait le document devant lui lorsque sa sœur, profitant de ce que Belle avait laissé la porte ouverte, se glissa dans la bibliothèque.

— Qu'est-ce qui se passe avec Belle ? Elle aurait pu avoir la politesse de me prévenir qu'elle rentrait aujourd'hui.

— Pourquoi ? Elle est…

Il hésita avant de dire « chez elle », mais sa sœur balaya son objection avec un geste d'impatience.

44

— Peu importe. Même si je peux inviter un autre homme pour ce soir, je vais devoir complètement modifier la disposition des places. Et le traiteur va...

— Non.

— Non ? Tu veux dire qu'elle ne participera pas au dîner ? Eh bien, tant mieux. Franchement, elle n'est pas présentable, mais je suis sûre que tout le monde se serait assemblé autour d'elle. Un sourire et personne ne lui résiste.

— Non !

Il était rarissime qu'il élève ainsi la voix. Miranda en fut temporairement réduite au silence.

— Non ! Tu n'auras rien à changer, parce que le dîner de ce soir est annulé !

— Annulé ? Mais, Ivo, ne sois pas ridicule ! L'ambassadeur, le secrétaire d'Etat... Quelle raison puis-je invoquer ?

— Je ne sais pas et je m'en moque, mais si tu es embêtée, dis-leur que ma femme vient de m'annoncer qu'elle me quitte, et que je ne suis pas d'humeur à bavarder. Je suis sûr qu'ils comprendront.

— Elle te quitte ? Mais elle ne peut pas ! Oh, je vois ! Qui...

— Miranda, cela suffit ! Plus un mot !

Il entendit la porte se refermer très doucement, et

45

il se rassit, abandonna ce document qui, quelques instants plus tôt, était trop important pour attendre. Dès qu'il avait vu Belle, il avait deviné, dans ses yeux, ce qui allait suivre.

Elle avait toujours été sincère avec lui. Elle voulait la sécurité ; il la voulait, elle. Mais au fond de lui-même, il avait toujours su, et craint, que ce jour arriverait. La sécurité, pour une femme aussi passionnée, ne serait jamais suffisante.

Sa première pensée avait été de lui demander de réfléchir, de prendre son temps…

Une heure, un jour de plus…

Chaque jour, il prélevait quelques précieuses minutes, enlevées à sa journée de travail, pour observer Belle. Il l'avait vue changer peu à peu, s'éloigner de lui ; il avait reconnu le danger. Peut-être cela avait-il commencé avant son voyage ; il avait juste refusé de le voir. C'était pourquoi il avait tenté de la convaincre de renoncer à son expédition.

Il ouvrit un tiroir, sortant le billet d'avion pour Hong Kong qu'il avait acheté le jour de son départ. Il avait été forcé de revoir ses plans quand une crise avait éclaté de manière inopinée dans un projet auquel il était associé.

Il avait estimé que cela n'avait pas d'importance. Il irait la chercher à l'aéroport et lui offrirait le collier de diamants que sa mère avait porté lors de son mariage.

Il s'était trompé deux fois.

Belle ne prit pas la peine de se doucher : elle ne voulait pas rester dans cette maison une minute de plus qu'il n'était nécessaire. Mais il lui fallait des vêtements appropriés pour aller au travail lundi matin.

Elle contempla les dizaines de toilettes, faites pour provoquer le désir chez tous les hommes qui allumaient leur téléviseur le matin.

Ce n'était pas elle qui les avait choisies. Elles faisaient partie de tout ce qui, dans sa vie, avait été fabriqué par les médias. Elles lui donnaient, à présent, un grand sentiment de vide.

Soudain, elle fut incapable de supporter une seule minute tous ces artifices. Elle se retourna et jeta dans un grand sac ce dont elle avait réellement besoin — de la lingerie, des chaussures, quelques vêtements de base, ce qui lui tombait tout de suite sous la main. Du maquillage…

Elle tendit la main vers un pot au couvercle doré, mais ses doigts étaient glissants et le pot tomba, se fracassant en mille morceaux. Elle se pencha pour les ramasser.

— Laisse cela !

Ivo…

— Laisse cela ! répéta-t-il en lui prenant la main. Tu vas te couper !

Belle frémit lorsque Ivo la toucha. Le contact de sa peau était si brûlant, comme toujours, que tout en elle lui cria de se jeter dans ses bras, de lui dire qu'elle n'avait pas parlé sérieusement, qu'elle ne le quitterait pas. Que rien n'était plus important que d'être avec lui.

Malgré son impassibilité, l'expression de ses yeux révélait son trouble. Elle savait qu'elle en était responsable, et préféra détourner le regard. Il était plus facile d'affronter son image dans le miroir que de lui faire face.

— Est-ce parce que je ne voulais pas que tu partes, Belle ? demanda-t-il, les mains sur ses épaules, comme chaque fois où il se préparait à une intimité qui ne nécessitait aucune parole.

— Non.

Qu'il ne veuille pas qu'elle s'en aille était compréhensible, mais elle ne pouvait permettre qu'il utilise sa faiblesse pour la faire rester.

— C'est parce que nous ne formons pas un vrai couple, Ivo. Nous ne partageons rien. Parce que je veux quelque chose que tu es incapable de donner.

Dans le miroir, elle le vit blêmir.

— Tu es ma femme, Belle. Tout ce que j'ai est à toi…

— Je suis ta faiblesse, Ivo. Tu me désires. Tu as un besoin que je satisfais.

— Et moi ? Je ne te satisfais pas ?

— Physiquement ? Tu connais la réponse à cette question. Tu m'as toujours donné tout ce que je t'ai demandé. Mais ce n'est pas pour autant que nous formons un couple.

— Tu es fatiguée.

Ce qu'il disait n'avait pas d'importance : elle ne pouvait résister à son magnétisme, comme une proie fascinée par un serpent. Il la força à se tourner pour qu'elle le regarde en face, et le corps de Belle répondit comme il le faisait toujours, perdant sa raideur — ce qu'il perçut aussitôt. Instinctivement, elle s'approcha de lui, espérant qu'il lui confie à quel point elle lui avait manqué, qu'il lui demande ce qui n'allait pas…

Au lieu de tout cela, il sortit de sa poche un objet qui étincelait de mille feux.

— Je l'ai fait faire pour notre anniversaire, le mois prochain.

— Mais ce n'est pas notre anniversaire de mariage !

— C'est celui de notre première rencontre !

Belle se sentit déchirée, tirée d'un côté par le besoin

physique de protection, de l'autre par ses émotions, par la force qu'elle avait trouvée de faire face à son passé, avec l'aide ses amies… Elle vit avec effroi qu'elle avait peine à résister, face à cette preuve éclatante qu'il avait pensé à elle, qu'il se souvenait du moment où leurs vies s'étaient croisées…

— Non…

Elle avait à peine prononcé le mot que les diamants touchèrent son cou. Magnifiques.

Froids.

Si le cœur d'Ivo était un diamant, il lui en aurait peut-être fait cadeau. Mais ce dont elle avait besoin ne pouvait venir de lui.

— S'il te plaît, Ivo. Ne fais pas cela…

Il lui fallut un énorme effort de volonté pour lui faire face, pour se libérer.

— Non, répéta-t-elle, plus fermement cette fois.

Elle recula et ôta le collier. Il en fut si surpris qu'il le laissa tomber à terre.

Il ne s'agissait pas de désir. Pas de la part d'Ivo. Même pas de désir sexuel. Mais seulement du besoin de maintenir son emprise.

— Cela suffit !

Elle recula, et saisit son sac, le repoussant de la main quand, instinctivement, il fit un geste pour le lui prendre.

Alors seulement, quand elle fut sûre qu'il garderait ses distances, elle lui tourna le dos et s'en alla, sur des jambes flageolantes.

Tout en elle lui faisait mal. C'était pire que le premier jour passé à vélo dans les montagnes, où elle avait cru qu'elle mourrait si elle appuyait encore une fois sur les pédales.

Mais à ce moment-là, la douleur était physique. Si jamais elle avait pu douter de son amour pour Ivo, chaque pas qu'elle faisait là le lui aurait rappelé. Mais le véritable amour impliquait le sacrifice. Ivo lui avait fait confiance, avait accepté sans la moindre question tout ce qu'elle lui avait raconté sur sa vie, avant leur rencontre. Avant qu'elle ne devienne « Belle Davenport. » Elle avait fait deux choses totalement égoïstes dans sa vie — abandonner sa sœur et épouser Ivo Grenville. Il était temps de faire face au passé, de corriger ces deux erreurs.

Elle prit son sac à dos là où elle l'avait laissé, et trouva la porte d'entrée grande ouverte, grâce aux fleuristes qui allaient et venaient. Elle leur en fut reconnaissante — elle n'était pas sûre qu'elle aurait eu la force d'ouvrir la porte elle-même.

Elle sortit dans la rue, remplie de peur, mais aussi de la certitude, pour la première fois depuis très longtemps, qu'elle avait raison d'agir comme elle le faisait.

Le petit appartement de Belle lui parut plus accueillant que la superbe demeure de Belgravia ne l'avait jamais été. Elle l'avait acheté après avoir signé son premier contrat.

Après avoir été remarquée par hasard lors d'une émission de collecte de fonds, où sa brève apparition avait brusquement fait monter les dons. Le présentateur avait décidé de lui donner sa chance à la télévision, où, au début, l'on n'avait pas su quoi faire d'elle. Elle avait présenté le bulletin météo, dans lequel, pour une raison mystérieuse, son embarras et son ignorance de la géographie avaient touché le cœur du public. Un magazine « people » lui avait consacré un article, et, quelques semaines plus tard, elle avait un agent et ses premiers contrats sérieux. Ainsi avait commencé une ascension qui l'avait propulsée jusqu'à la place centrale du divan d'où l'on animait la télévision du matin. Elle avait eu la prudence de s'acheter un logis, en prévision du jour où la sympathie du public se reporterait sur quelqu'un d'autre.

Elle avait aussi assuré sa sécurité en épousant un multi-milliardaire, mais elle avait gardé son appartement, se contentant de le louer après avoir emménagé chez lui. Jamais elle n'aurait voulu le vendre. Ce n'était pas seulement un bon investissement, mais aussi la sécurité à un niveau différent, plus authentique.

Après le départ du dernier locataire, elle l'avait retiré des listes des agences, prétextant qu'il avait besoin de travaux. C'était comme si elle avait préparé ce moment de longue date.

Elle posa son sac et toucha les murs pour se rassurer. Elle promena son regard autour d'elle, et l'arrêta sur son alliance. Elle ne put s'empêcher de repenser au moment où Ivo l'avait placée à son doigt. Il avait promis de la protéger.

Il avait tenu cette promesse, comme toutes les autres qu'il avait faites. Mais cela ne suffisait pas. Elle ôta l'alliance.

Puis elle défit ses bagages et mit son appartement en ordre. Après avoir pris une douche, sa première tâche fut d'envoyer des e-mails à Claire et Simone pour leur faire savoir qu'elle était bien rentrée chez elle.

En appuyant sur la touche « envoi », elle se rappela la mise en garde de Simone : ne prends pas de décision hâtive. Peut-être qu'Ivo pourra t'aider…

Non. Elle devait faire cela elle-même. Malgré sa migraine, elle se mit à chercher sur internet des informations sur ce qu'elle pouvait faire pour sa sœur.

Elle reçut une bonne nouvelle : grâce à la nouvelle loi, ce n'étaient plus seulement les mères biologiques, mais aussi les membres de la famille qui pouvaient tenter d'entrer en communication avec les enfants adoptés.

La mauvaise nouvelle était que le premier pas devait être fait par Daisy. Si sa sœur n'acceptait pas de revoir la famille où elle était née — et Belle ne voyait aucune raison qu'elle en ait envie — il n'y aurait pas de mise en relation.

Ivo pourrait t'aider… Il aurait des contacts…

Elle chassa cette pensée et remplit le formulaire en ligne. Si cela ne donnait rien, elle pourrait s'adresser à une agence spécialisée.

Elle se donna une semaine avant de tenter cette solution. Pour le moment, il y avait plus pressé. Elle devait appeler son coiffeur.

— Je savais que cela allait être dur, constata George, mais à ce point ! Qu'avez-vous fait à vos cheveux ?

— Rien.

— Je suppose que c'est là l'explication. J'espère que vous n'avez rien prévu pour le reste de la journée. Il va falloir un traitement, une coloration…

— Je voudrais que vous les coupiez.

— Oui, à l'évidence, il faut raccourcir ces mèches.

— Non. Je veux que les coupiez courts. Et que vous me débarrassiez de cette teinture blonde. Je veux retrouver ma couleur naturelle.

— Oh ! Vous vous souvenez de ce qu'elle était ?

Vaguement. Au début, elle était d'un blond très pâle, comme sa sœur, mais tout avait changé lorsqu'elle avait découvert le rayon des colorations au supermarché — plutôt en avance pour son âge. Cependant, si elle voulait redevenir « vraie », sa coiffure était un aussi bon point de départ que n'importe quoi d'autre.

— Oh, peu importe.

George examina les racines de ses cheveux pour se faire une idée, puis demanda :

— Est-ce que votre consultant en image est d'accord ? Et votre agent ?

Comme elle ne répondait pas, il ajouta :

— Votre mari ?

Cette fois, c'en était trop. Elle se pencha, attrapa une paire de ciseaux, et, avant que George ait pu l'en empêcher, coupa à travers ses cheveux, juste sous l'oreille. Puis, posant les ciseaux, elle l'interrogea :

— Allez-vous terminer ? Ou est-ce que je dois le faire ?

3.

Lorsque Belle se réveilla finalement, le dimanche matin, elle prit pleinement conscience de l'énormité de ce qu'elle avait fait, de la solitude dans laquelle elle s'était plongée — pas seulement pour ce matin-là dans son lit, mais définitivement — et la journée sembla s'étendre devant elle comme un désert.

Elle s'installa devant son ordinateur, espérant un peu naïvement un message de Daisy — mais il n'y avait rien à part un spam. Elle se força à se lever.

Elle ignorait par quels détours les services sociaux feraient passer son appel à Daisy, mais il ne fallait pas espérer trop de rapidité de la part de cette administration bureaucratique, se raisonna-t-elle. A bien réfléchir, il lui sembla qu'elle n'aurait aucune réponse avant le milieu de la semaine. Ou peut-être bien plus tard.

Elle ne pouvait rien faire de plus pour le moment,

et elle avait un souci plus pressant. Elle n'avait rien à porter pour lundi matin.

La solution la plus sensée aurait été d'appeler Ivo pour aller rechercher au moins une partie de sa garde-robe. Elle avait un ensemble rose qui mettrait en valeur le récent bronzage de sa peau. Il lui fallait des chaussures. Et un millier d'autres choses.

Ou peut-être juste une.

Elle s'était sentie si seule, pendant la nuit qui venait de s'écouler. Elle avait regretté ce bref éclair de passion dans les yeux d'Ivo. Elle avait besoin de savoir qu'au moins une personne dans le monde avait besoin d'elle.

C'était pathétique.

Mais si elle retournait chez lui, s'il tentait une nouvelle opération de séduction en visant ses points faibles, elle n'était pas sûre de pouvoir résister.

Que se passerait-il ensuite ?

Si, par miracle, elle retrouvait Daisy, elle serait déchirée. Il faudrait abandonner sa sœur une deuxième fois, ou tout avouer à Ivo. Admettre qu'elle avait menti et qu'il ignorait tout de la femme qu'il avait épousée. Elle le perdrait.

Au moins, en persévérant dans la voie qu'elle s'était tracée, elle pouvait espérer que, lorsque la vérité ferait surface, il comprendrait, et lui serait reconnaissant d'avoir pris ses distances.

Tout cela était beau et noble, mais elle ne savait toujours pas ce qu'elle porterait le lendemain.

Elle appela un taxi — c'en était fini d'avoir un chauffeur à sa disposition — et se fit conduire dans l'un des centres commerciaux qui semblent pousser à Londres comme des champignons. Là, elle se perdit dans la foule.

En fouillant dans les rayons, elle trouva une veste verte qui lui plut immédiatement. C'était tout à fait ce que son « gourou » en image lui conseillait d'éviter. Apparemment, elle n'était pas assez grande ou assez mince pour porter cela. Mais son expédition l'avait bien amincie, et ses cheveux courts la faisaient paraître plus grande. Elle essaya la veste, sous l'œil approbateur de la vendeuse.

— Cela vous va très bien. Vous a-t-on déjà dit que vous ressemblez à Belle Davenport ?

— Non. Elle ne porterait pas une chose pareille ?

— Non, mais vous êtes plus mince, et plus grande.

— Vous croyez ? On dit que la télévision vous fait prendre cinq kilos.

— Faites-moi confiance, cette veste est faite pour vous.

C'était peut-être vrai, mais elle était si habituée aux compliments qu'elle doutait de son propre jugement. Mais cette veste n'était pas l'un des vêtements les plus chers du rayon, aussi la vendeuse n'avait-elle aucune raison de mentir.

— Merci beaucoup.

Elle acheta la même veste en tweed, puis se choisit des pulls, des chemisiers de soie, et des pantalons — elle était toujours en jupe quand elle passait à la télévision.

A plusieurs reprises, elle croisa le regard scrutateur de gens qui essayaient de mettre un nom sur ce visage connu, mais sa nouvelle coiffure et la teinte châtaine de George lui permirent de faire illusion.

En passant devant une cabine photo, elle ne put résister au plaisir de se faire photographier avec sa pile d'achats, pour envoyer ensuite la copie du cliché à Claire et Simone.

Puis elle passa devant une boutique de décoration.

Il n'y avait pas qu'elle qui avait besoin d'un profond changement — c'était aussi le cas de son appartement.

Elle ressortit du magasin tellement chargée qu'il

lui fallut appeler un taxi. Peut-être serait-il nécessaire qu'elle achète une voiture ?

L'un des premiers projets « moquez-vous de Belle », à la télévision, l'avait vue prendre des cours de conduite. Elle n'avait nullement été ridicule, puisqu'à la fin, elle avait fait un tour de circuit dans une voiture de course, avant de faire un dérapage contrôlé en bus à deux étages. Et décroché un nouveau contrat.

Elle s'était ensuite acheté une voiture, mais, depuis son mariage avec Ivo, elle avait toujours eu un chauffeur à sa disposition, elle n'avait donc pas gardé le véhicule.

Le chauffeur du taxi se révéla être une mine d'informations sur le sujet, et, lorsqu'il la déposa devant chez elle, il avait déjà passé un appel avec son portable, pour lui prendre un rendez-vous le lendemain après-midi, afin qu'elle essaie une BMW décapotable.

— Qu'est-ce que vous avez fait ?

Elle n'était pas plus tôt rentrée du studio, le lundi après-midi, que le téléphone sonnait déjà.

Elle pensa d'abord qu'il devait s'agir des journalistes. Après avoir vu sa nouvelle image à la télévision, ils avaient dû se ruer aux nouvelles. Comme ni son agent ni son consultant en relations publiques ne pouvaient répondre aux questions — ils n'étaient pas encore au courant — on avait dû téléphoner chez Ivo, pour apprendre qu'il y en avait encore beaucoup plus à raconter.

Qu'elle n'habitait plus avec Ivo. Que le « mariage parfait » était fini.

Cela pouvait aussi être son agent — il gardait un téléviseur dans son bureau — qui souhaitait lui demander pourquoi elle démolissait ainsi sa brillante carrière. Pourquoi elle détruisait l'image qu'il avait créée au prix de tant de peine et de dépenses — à l'écouter, c'était toujours de sa poche que l'argent sortait, même quand il dépensait celui de Belle. Il devait déjà réfléchir à une session de photographies pour vendre son nouveau look. Et à l'histoire que le conseiller en image pourrait bien fabriquer pour expliquer son départ du logis conjugal.

Elle vivait une nouvelle liaison sentimentale ? « Rayonnante, pleine de bonheur… »

Son mari la trompait ? « Compatissante, courageuse dans l'adversité… »

Son mariage s'était effondré sous la pression conjuguée de leurs deux carrières ? « Très triste. Ils sont restés en bons termes… »

Tout cela, elle l'avait déjà vu cent fois.

Le répondeur indiquait un message, mais elle l'ignora. Sans prêter davantage attention à la sonnerie qui retentissait à la porte, elle alluma son ordinateur pour voir s'il y avait un message du service des adoptions. Rien.

La sonnerie retentit une deuxième fois. Manifestement, la personne qui était à l'entrée n'allait pas s'en aller. Elle appuya sur la touche de l'Interphone.

— Belle…

Elle tressaillit en reconnaissant la voix d'Ivo.

Non, ce n'était pas possible.

On était au milieu de l'après-midi. Il devait être dans son bureau, dominant Londres, au sens propre comme au figuré. Il ne faisait rien de personnel pendant les heures de travail…

Incapable de répondre, elle ouvrit simplement la porte du bas. Pendant qu'il montait, elle mit ce temps à profit pour reprendre ses esprits.

Elle ouvrit la porte de l'appartement.

L'espace d'un instant, il la regarda fixement.

Puis il tendit la main pour la toucher.

— Tu as l'air…

Il semblait ne pas trouver ses mots, pour la deuxième fois en trois jours, alors que cela ne lui arrivait jamais, d'habitude.

— Différente ? lança-t-elle pour briser le silence.

Il ne répondit pas, et se contenta de lever l'épaisse

liasse d'enveloppes qu'il avait à la main, comme si cela justifiait sa présence.

Pendant un court moment, elle n'avait pu s'empêcher d'espérer autre chose — sans très bien savoir quoi…

— Je pensais que Miranda s'occuperait de faire suivre mon courrier…

— Il y en avait tellement. J'ai jugé qu'il pouvait y avoir des choses importantes…

Importantes au point de se déranger en personne ?

Elle tendit la main pour prendre les enveloppes, mais il ne les lâcha pas.

— Je suis déjà venu plus tôt.

Il s'était même dérangé deux fois !

— Tu aurais pu les laisser dans ma boîte aux lettres.

— Il ne s'agit pas seulement du courrier. D'habitude tu rentres bien plus tôt.

— J'ai eu beaucoup à faire aujourd'hui.

C'était un euphémisme. Après avoir annoncé son départ à Ivo, il avait été bien plus facile de faire savoir qu'elle ne renouvellerait pas son contrat pour présenter la télévision du matin.

Et voilà qu'elle présentait des excuses, comme une enfant rentrée trop tard de l'école.

Il était temps de rappeler à Ivo qu'elle n'avait d'excuses à donner à personne.

— J'ai aussi acheté une voiture, ajouta-t-elle.

— Tu as fait quoi ?

Ce n'était pas tant une question qu'une exclamation outragée, venant d'un homme stupéfait qu'une femme — son épouse, de surcroît — ait pu se croire capable de prendre elle-même une telle décision.

En fait, depuis une semaine, elle en avait pris beaucoup :

Quitté son mari.

Fait couper ses cheveux.

Acheté une voiture.

C'était la troisième qui avait provoqué en lui le plus de réaction, aussi ne changea-t-elle pas de sujet.

— C'est une BMW décapotable, argentée, qui n'a que trente-cinq mille kilomètres. On me la livre demain.

— Une occasion ? demanda-t-il soudain soucieux. Elle a subi un contrôle technique ? Dis-moi que tu ne l'as pas rachetée à un particulier !

Cette attitude était bien extraordinaire, de la part d'Ivo. Si elle avait su, elle aurait peut-être monté plus tôt un commerce de voitures d'occasion…

— Ce serait si grave ?

— Il me faut le numéro d'immatriculation, pour

vérifier. Elle pourrait être volée. Ou avoir été reconstruite avec plusieurs épaves. As-tu la moindre idée…

— Oh, non. Je suis sûre qu'elle est très bien. Je l'ai achetée au beau-frère d'un chauffeur de taxi que j'ai rencontré hier.

— Donne-moi son nom et son adresse.

— Ceux du chauffeur de taxi ?

— De son beau-frère.

Il n'avait pas les dents serrées — mais c'était tout juste.

— Oh, Mike ? Ne bouge pas, j'ai sa carte quelque part.

Elle ouvrit son sac à main, qui était posé sur la table, en sortit une carte de visite professionnelle, et la lui tendit.

Ivo la lut, puis leva les yeux vers Belle.

— Mike Wade est le beau-frère du chauffeur de taxi ?

— Oui. Quelque chose ne va pas ?

Ivo venait de se rappeler que Mike Wade était l'un des concessionnaires les plus connus de BMW à Londres, pas un vendeur à la sauvette…

— Il a demandé si tu te souvenais de lui, poursuivit Belle. Tu lui avais parlé une fois de remplacer ta voiture par un des nouveaux modèles. D'un vert profond…

Belle venait littéralement de découvrir qu'Ivo était un être humain, qu'il était possible d'émouvoir. Mais elle n'insista pas, et regretta même soudain de s'être moquée de lui. Il était juste là pour voir si elle allait bien.

Elle prit un ton plus sérieux.

— Qu'est-ce qui t'amène, Ivo ?

— J'étais venu te demander ce que tu veux faire, pour tes vêtements. Tu dois bien avoir besoin de certains d'entre eux.

— Certes, admit-elle avec un soupir qu'elle ne put réprimer.

En effet, une journée de courses ne pouvait remplacer une garde-robe entière. Quelques vestes et chemisiers n'allaient pas la mener très loin. Entre autres choses, elle devait se préparer pour une cérémonie de remises de prix, à la télévision.

— Nous devons parler, ajouta-t-il. De la suite.

— Il vaudrait mieux que tu entres, dit-elle en ouvrant la porte toute grande.

Elle le suivit à l'intérieur, puis se dirigea vers la cuisine.

— As-tu faim ? Le déjeuner me semble si loin…

Elle se retourna pour voir Ivo fixer son ordinateur portable.

— Je t'ai dérangée. Tu es occupée…

— Je travaille sur un nouveau projet. Et je n'ai pas grand-chose comme nourriture.

Juste ce qu'elle avait acheté au supermarché au coin de sa rue.

L'ordinateur fit entendre un signal sonore la prévenant qu'un e-mail venait d'arriver. Elle dut faire appel à toute sa volonté pour rester dans la cuisine.

— Il faudra se contenter de tranches de pain, avec… Du fromage ? Des sardines ? Des œufs brouillés ?

C'étaient là des nourritures inconnues dans la grande demeure de Belgravia, mais dont elle avait vraiment envie.

— Nous pourrions aller quelque part, proposa Ivo, à qui tout cela était visiblement étranger.

— Je préfère rester ici.

— Un endroit tranquille, insista-t-il.

Sans discuter, elle se contenta de prendre une boîte d'œufs dans le réfrigérateur.

— Il y a du pain juste à côté de toi.

Il resta immobile un moment, puis tendit la main pour en prendre quelques tranches.

— Tu n'aurais pas imaginé que je sache cuisiner !

— Tu n'en as jamais eu besoin.

Non, pas depuis qu'elle avait épousé Ivo. Auparavant,

elle avait observé les chefs qui étaient invités dans son émission, acheté des livres de recettes, et pris plaisir à se préparer des plats, dans son appartement. Chez Ivo, le moindre sandwich était confectionné dans la cuisine — un lieu qu'elle avait plusieurs fois visité, au début, avant que Miranda lui ordonne de ne pas déranger le personnel.

— Peut-être que si, quelque part. Mais pourquoi ne te fais-tu pas un sandwich ? Tu sais te servir d'un grille-pain, non ?

— Je suis allé dans une grande école privée, aux confins de l'Ecosse. Puis à l'université, pendant quatre ans, Belle. Sans grille-pain, je serais mort de faim.

Elle ne s'attendait pas à cette confidence. C'était deux fois plus qu'il ne lui avait jamais dit sur ses études. Il ne parlait jamais de ses jeunes années : tout ce qu'elle en savait venait de Miranda. Les étés en France et en Italie, les chevaux…

Elle se demandait soudain si Ivo avait été aussi heureux que sa sœur le prétendait.

— Avoir faim n'est pas la même chose que connaître véritablement le besoin, répondit-elle, sans vouloir céder.

Elle n'avait jamais envié Ivo que sur un point. Non pas sa fortune, sa maison pleine de trésors accumulés depuis des générations, ou la demi-douzaine de riches demeures qu'il possédait dans le monde, sans avoir le temps de les visiter. Mais son éducation. Miranda et lui avaient des conversations sur l'art, la musique, la littérature, qui lui passaient bien au-dessus de la tête. Tous deux parlaient couramment le français et l'italien, alors que Belle ne connaissait que l'anglais populaire, qu'elle avait travaillé à rendre un peu plus distingué depuis son arrivée à la télévision — même si l'on n'était plus à l'époque où la télévision britannique boudait l'accent des classes moins favorisées.

Une jeunesse aussi raffinée avait manqué à Belle. Depuis qu'elle était devenue présentatrice, elle avait beaucoup lu, cherchant à rattraper le temps perdu, pour ne parvenir qu'à mesurer l'étendue de son ignorance.

Il avait eu toutes les chances ; il n'avait vraiment aucun droit de se plaindre.

— Mes employés t'ont aidée autant qu'ils ont pu, contra-t-il, en croyant qu'elle parlait des enfants pour qui elle avait voulu collecter des fonds.

— Je dois en être reconnaissante ? Ils n'ont fait qu'obéir au patron.

— Tu te sous-estimes. Ils ont vraiment été touchés par ce que tu as fait pour ces enfants.

— Oh ! fit-elle, la gorge soudain sèche. Et toi ?

— Moi aussi. Un gros chèque est parti ce matin, en réponse à ton appel.

— Merci, répondit-elle en regrettant d'avoir été aussi dure. Mais je voulais savoir si tu as été « personnellement touché » ?

— Belle...

Quelle question stupide !

Les tranches de pain furent éjectées du grille-pain. Heureuse de cette interruption, elle prit les œufs qui cuisaient et sortit deux assiettes.

— Pourrais-tu me donner le beurre, qui est au réfrigérateur ?

Il ne bougea pas.

— Quelle est la raison de tout cela ? Pourquoi maintenant ?

Comme elle restait muette, il ajouta :

— A moins qu'il n'y ait quelqu'un d'autre ?

Il y avait une pointe d'incertitude, si rare dans sa voix. Ce qui ne changeait pas, par contre, était sa propre détermination. Elle eut envie de le rassurer, de lui dire que ce n'était pas sa faute.

Mais elle savait comment cela finirait, aussi alla-t-elle chercher le beurre elle-même. Ce fut seulement ensuite qu'elle se sentit assez forte pour dire :

— Il n'y a personne d'autre, Ivo. Pour ce qui est du moment... Peut-être que la distance aide à mieux voir les choses. Nous n'avons jamais prétendu être mariés pour toujours, comme dans les contes de fées. Nous le sommes depuis trois ans : c'est deux de plus que la plupart des gens ne le pronostiquaient au départ. C'est presque un record dans le milieu où j'évolue. Nous n'avons pas commis l'erreur d'avoir des enfants… Personne ne souffrira.

Enfin presque…

Elle avait désiré avoir un bébé d'Ivo, une partie de lui-même qu'elle pourrait aimer sans réserve, qui l'aimerait, elle, telle qu'elle était, mais elle l'avait épousé par besoin de sécurité. Il fallait plus que cela à un enfant.

Peut-être valait-il mieux qu'ils n'en aient pas eu. Un bébé aurait servi à camoufler le vide dans sa vie. Un vide qu'elle avait jusqu'alors, refusé de reconnaître.

Tant qu'elle n'aurait pas fait face au passé, retrouvé sa sœur, elle n'aurait pas le droit d'avoir un bébé à elle.

— Songe simplement que je nous rends service. Laisse-moi. Trouve une autre femme qui s'intégrera dans ton monde…

Ce monde qui entourait Ivo avait toujours paru bien froid à Belle. Là-bas, dans les montagnes, elle avait finalement trouvé la force de le quitter, en même temps qu'elle renonçait à son image artificielle pour la remplacer par une autre, plus mûre.

Elle n'avait plus besoin de lui.

Il y avait eu un temps où Ivo n'aurait eu qu'à la toucher du bout des doigts pour qu'elle reste, mais c'était bien fini. Il venait de faire, par désespoir, une tentative si maladroite qu'elle l'avait rejeté.

Essayer de la ramener à lui serait à présent d'un égoïsme sans bornes. Et pourtant il ne pouvait se résoudre à la laisser partir. Mais il ne savait pas comment la retenir.

— Une autre te donnera ce que je n'ai jamais pu t'offrir.

— Tu m'as donné…

— Je sais ce que je t'ai donné, coupa-t-elle avant qu'il ne se rende complètement ridicule.

Tout le monde les croyait fous d'amour l'un pour l'autre — alors que la réalité était bien différente.

— Je suis désolé. Il faut que je m'en aille. On m'attend.

Des réunions. Des acquisitions. Des fusions de sociétés. Plus d'argent. Plus de puissance. N'importe quoi, pour combler le vide qui lui faisait si mal. Mais partir était plus douloureux, plus difficile qu'il ne l'aurait cru possible.

— Tu n'as besoin de rien ? Il y a bien quelque chose

que je peux faire pour toi… Tu ne peux pas rester ici. Laisse-moi un jour ou deux et je vais te trouver un logement plus confortable.

— C'est ce qui t'inquiète ? Cela ne serait pas très convenable que les journaux me découvrent dans un petit appartement près de Camden Lock, alors que je pourrais habiter sur la terrasse d'un gratte-ciel à Chelsea ?

— Ce n'est pas pour moi…

Si, c'était pour lui. Il fallait qu'il fasse quelque chose, qu'il retrouve un minimum d'emprise…

— Je veux juste que tu sois bien installée. En sécurité. Que tu reviennes à la maison. La population de ce quartier est très…

— Je comprends ce que tu veux dire, mais c'est ici que j'habiterai désormais. J'appellerai Miranda pour arranger le déménagement de mes affaires.

Ils se dirent au revoir sans se toucher, en utilisant les mots vides de sens que l'on emploie faute de savoir quoi dire d'autre.

— Si tu as besoin de quoi que ce soit…

— J'appellerai.

— Je connais le chemin.

Pendant qu'il en avait encore la force, il sortit.

Son chauffeur lui ouvrit la portière de sa Rolls, prêt

à le ramener dans sa tour d'ivoire. Mais, au moment de monter, il se ravisa.

— Appelez le bureau, Paul et prévenez ma secrétaire que je serai absent aujourd'hui.

— Elle vous a appelé il y a quelques minutes, Monsieur Grenville. Il y a eu un coup de fil de Threadneedle Street, demandant où vous étiez.

Il avait un rendez-vous à la Banque d'Angleterre et il avait oublié. Cela ne lui était jamais arrivé auparavant.

— Priez-la de rappeler et de présenter mes excuses, s'il vous plaît. Ensuite... je n'aurai plus besoin de vous avant demain matin.

Sans attendre une réponse, il repartit.

Si Belle était une société qu'il voulait acquérir, la marche à suivre lui aurait été familière : étudier les bilans. Analyser les résultats. Définir un plan...

4.

Belle se força à manger. Cuisiner avait été un moyen de distraire son attention, d'occuper ses mains, plus que de préparer de quoi se nourrir. Comme depuis son enfance elle avait horreur de gaspiller de la nourriture, elle fit un gros effort pour avaler ce dont elle n'avait pourtant pas envie.

L'assurance de savoir qu'elle faisait le bon choix, pour elle comme pour Ivo, ne rendait pas les choses plus faciles.

Même après son départ, on eût dit qu'il était encore là, remplissant l'atmosphère de sa présence. Incapable de supporter cela plus longtemps, elle sortit une bombe de désodorisant et en répandit autour d'elle.

Mais Ivo Grenville était toujours là. Elle réalisa que c'était dans son esprit qu'il était présent, et qu'il le resterait jusqu'à ce que les mille et unes péripéties de la vie quotidienne l'en chassent peu à peu.

Mécaniquement, elle s'obligea à nettoyer la vaisselle. Puis elle alla voir ce qui était arrivé sur son ordinateur.

Il allait lui falloir s'armer de patience. Ce n'étaient pas des nouvelles de Daisy, mais un message de Simone, toute retournée par la perte du journal qu'elle avait tenu. Elle confessait que cette expédition était devenue, à la fin, plus psychologique que physique, et qu'elle n'avait pas pu s'empêcher de noter les secrets dévoilés dans la quiétude des montagnes.

Si quelqu'un le trouvait, tout risquait d'être divulgué au public.

Encore sous l'effet de son face-à-face avec Ivo, Belle était trop perturbée pour prendre à cœur l'inquiétude de Simone. Mais Simone était anxieuse, aussi Belle composa-t-elle une réponse pour l'apaiser. Le journal devait être passé dans une poubelle, dans un aéroport, et après avoir été broyé avec les ordures. Ce qu'il en restait devait être en route pour une décharge. Puis, comme ce message lui avait redonné foi en ce qu'elle faisait, elle passa au scanner une des photos prises au centre commercial et l'ajouta au message, avec ce commentaire :

« Voici une photo de moi, telle que je suis à présent. Un peu moins vedette de télévision et un peu plus fidèle à moi-même, je crois. J'ai passé le week-end à acheter des vêtements sans que mon conseiller en image en soit informé. J'ai fait sensation à la télévision en arrivant dans cette nouvelle tenue, avec ma nouvelle coiffure. L'effet a encore été bien plus fort quand j'ai annoncé que je ne renouvellerai pas mon contrat.

« Ivo est passé, il a failli avoir une attaque en apprenant que j'avais acheté une voiture… »

Elle faillit ajouter qu'elle s'était bien moquée de lui, avant de se raviser : pourquoi s'appesantirait-elle sur sa relation avec son ex-mari ? Claire et Simone étaient déjà informées qu'ils étaient séparés. Elle devait le chasser de son esprit — même s'il y revenait toujours. Elle continua :

« Le plus important, c'est que j'ai contacté le service des adoptions. Si Daisy veut établir le contact, nous pourrions êtres mises en relation très vite. Sinon… »

Sinon, la retrouver serait une affaire de semaines, de mois, d'années… surtout sans l'aide de Ivo.

Elle ne put s'empêcher de jeter un coup d'œil vers la porte. « Si tu as besoin de quoi que ce soit… », avait-il dit avant de partir.

Elle avait besoin d'un million de choses. De l'aide pour retrouver Daisy. Avec tous les gens qu'il connaissait, Ivo pouvait sans doute régler le problème presque instantanément. Mais en fait, il n'y avait qu'une seule chose qu'elle désirait vraiment de sa part : son amour. Qu'il ne lui avait jamais offert.

Dans le message, elle effaça « Sinon ».

Elle ne devait pas se laisser envahir par des pensées négatives. Encore moins les communiquer à Claire et Simone, qui devaient faire face à leurs propres démons. Au contraire, elle leur demanda comment leurs plans se déroulaient, encourageant Claire chez qui elle avait perçu une hésitation.

Puis elle retourna sur le site web des services d'adoption, pour y lire, de manière quasi obsessionnelle, les histoires d'enfants adoptés, avec des résultats allant du merveilleux au tragique. Des récits de mères séparées de leurs enfants, d'enfants qui cherchaient leurs racines. Elle tenta de trouver des raisons d'espérer, ou tout ce qui pouvait chasser Ivo de ses pensées. Mais elle ne pouvait l'empêcher d'y être présent.

Ivo, sur une plage tropicale, le jour où elle lui avait répété qu'ils ne s'engageaient pas pour toujours. Peut-être que le cœur de Belle savait déjà ce que son esprit refusait d'admettre.

Ivo interrompant une discussion d'affaires pour venir lui parler au bout de la table.

Ivo, dans l'un des rares moments où il s'était endormi dans ses bras, et où il était entièrement à elle.

Ivo ne rentra chez lui qu'assez tard.

— Ta secrétaire a appelé, dit Miranda, si anxieuse qu'elle en était irritée. Tu as manqué un rendez-vous.

— Je sais. J'ai transmis mes excuses.

— La question n'est pas là ! Personne ne savait où tu étais.

— Vais-je être mis en retenue ?

— Ivo... Tu es allée la voir, n'est-ce pas ?

Elle ajouta « Belle », comme si c'était néces-saire.

— Il fallait que nous parlions.

Non pas qu'ils l'aient fait. Pas de sujets importants, en tout cas. Mais sa visite lui avait quand même appris quelque chose. Belle n'avait pas voulu qu'il jette un coup d'œil à l'écran de son ordinateur. Elle avait caché ce qu'elle faisait. Et tressailli en enten-dant qu'un message venait d'arriver. Elle dissimulait quelque chose.

— Ivo ?

Il réalisa que sa sœur attendait ses explications.

— Belle va appeler, pour arranger le déménage-ment de ses affaires.

— Ah oui ? Et je suis censée me mettre au gardeà-vous, pour organiser toute cette opération avec le personnel ?

— Oh, je croyais que tu apprécierais ce moment. N'est-ce pas ce que tu attendais ?

— Je… j'ai toujours su que cela arriverait.

— Oui. Eh bien, tu n'étais pas la seule.

— Ivo…

— Si Belle appelle la première, elle le fait par courtoisie, et elle agit avec politesse, même si elle n'a pas reçu l'éducation la plus raffinée que l'argent puisse payer. Elle est mon épouse, Miranda. Ici, c'est aussi sa maison.

— Alors où est-elle ? Qu'est-ce qui lui prend ? Et comment parvient-elle si bien à mettre tout le monde à ses pieds ? Elle flotte sur un nuage de douceur, pour ne pas dire de niaiserie, elle ne sait rien faire d'autre que de se laisser admirer, et pourtant personne ne lui résiste !

— Si c'est tout ce que tu vois, Miranda, tu n'es pas aussi fine que tu l'estimes.

— Même maintenant, alors qu'elle t'a laissé tomber, tu la défends !

— Elle n'a pas besoin de moi pour se défendre.

Ni pour autre chose. Etait-ce ce qu'elle avait appris dans les montagnes ? A être assez forte pour se débrouiller seule ?

— Quant au nuage de douceur, ajouta-t-il, tu pourrais essayer toi-même de t'y réfugier de temps en temps. Cela te ferait du bien.

Miranda rougit, puis haussa les épaules.

— Ce n'est pas mon style, Ivo. Je ne peux pas… Elle me fait éprouver un sentiment d'échec et d'impuissance. En tant que femme. Dès qu'elle apparaît dans la pièce, je crois devenir invisible…

— Miranda…

Elle se redressa.

— Je ferai ce que je peux pour me rendre utile. Mais ne vaudrait-il pas mieux que Belle attende d'avoir déménagé, avant de faire emporter toute sa garde-robe ?

— Déménagé ?

— Tu ne vas pas la laisser dans ce petit appartement de Camden ?

— Apparemment, ce n'est pas à moi d'en décider.

— Oh, je vois. Elle va crier misère pour faire monter la pension alimentaire qu'elle va t'extorquer !

— Belle aurait du mal à crier misère. J'ai bien placé son argent… Et elle n'a rien à extorquer. Tout ce que j'ai lui appartient. Elle n'a qu'à demander.

— Même cette maison ?

C'était peu probable. Le seul bien dont Belle ne

voudrait pas, jugeait-il, était cette maison. Mais sa sœur venait d'épuiser sa patience par son cynisme.

— Peut-être devrais-tu te chercher toi-même un logement, conseilla-t-il. Juste au cas où. J'ai entendu dire que Camden devenait très prisé. Peut-être Belle consentirait-elle à un échange. Son appartement n'est pas si exigu.

Il n'était pas si petit que cela, même si rien ne pouvait rivaliser en taille avec la demeure de Belgravia. Mais il était accueillant, qualité qui manquait totalement à cette immense bâtisse où il vivait — quand Belle en était absente. C'était elle qui faisait toute la différence.

Comme il repensait à la visite qu'il lui avait rendue, un détail lui revint soudain à l'esprit.

L'adoption. Il avait juste pu voir ce mot sur l'écran. Elle était allée sur un site où il était question d'adoption.

Soudain, il comprit tout.

Ce fut le lendemain que Belle reçut le message qu'elle attendait. Daisy Porter avait été informée qu'un membre de sa famille la cherchait. Si Belle voulait lui adresser une lettre, celle-ci serait transmise à sa sœur.

Elle en composa une demi-douzaine, de la plus

courte à la plus longue. Finalement, elle fit appel à un service de messageries — elle ne pouvait attendre un jour de plus pour que la lettre soit distribuée par la poste — et envoya un courrier qui ne contenait que l'indispensable. Ses coordonnées, une demande de réponse. A la dernière minute, elle y ajouta une des photos prises au centre commercial.

Comme l'attente était insupportable, elle s'occupa en arrachant le papier peint du salon.

Lorsque le week-end arriva, elle avait arraché tout le papier. Perchée sur l'échelle qu'elle avait achetée, elle posait à présent une couche de peinture sur le plafond.

Le téléphone sonna. Elle se força à rester calme. Elle avait espéré une réponse rapide de Daisy, mais, après plusieurs jours ponctués d'appels sans importance, elle avait dû se résigner à la patience.

C'était plus probablement un journaliste qui avait retrouvé sa trace, songea-t-elle.

La chaîne de télévision avait, pour le moment, réussi à garder secrète la nouvelle de son départ. Les médias étaient si occupés à parler de son nouveau look qu'ils étaient passés à côté de la grande nouvelle : son départ du foyer conjugal.

Evidemment, cela n'en resterait pas là, et quand la

vérité éclaterait au grand jour, le téléphone deviendrait son ennemi, et non plus son ami.

Elle aurait dû acheter un nouveau téléphone portable avec un numéro qu'elle seule connaîtrait, et le donner à Daisy. Il était trop tard pour y penser.

Le répondeur se déclencha. Elle s'avisa, également trop tard, qu'elle n'aurait pas dû mettre une annonce avec sa propre voix.

Le correspondant raccrocha sans laisser de message.

Elle se remit à peindre.

Le téléphone sonna de nouveau. Elle le décrocha avant que le répondeur ne se mette en marche.

— Oui ? Je suis là.

Elle n'entendit que la tonalité. On avait encore raccroché.

Elle composa le numéro du service qui permettait de retrouver un correspond à partir de son numéro d'appel, mais n'obtint, pour toute réponse, que « Nous n'avons pas le numéro de votre correspondant. »

Elle avait besoin de se calmer, aussi décida-t-elle de se préparer du thé. A peine était-elle entrée dans la cuisine que le téléphone sonna pour la troisième fois. Elle se précipita.

— Belle ?

C'était Ivo.

— Oh !

— Je ne suis pas la personne que tu attendais, à l'évidence.

— Oui... euh... non.

Elle aurait dû se douter qu'il appellerait, car il était déjà revenu jusqu'à son domicile depuis sa première visite. Elle avait vu sa voiture par la fenêtre, et elle avait fait semblant de ne pas entendre la sonnerie à l'entrée.

Pour elle, la situation était déjà assez difficile sans qu'il vienne raviver le souvenir de ce qui lui manquait...

— Tu es toujours là ?

— Oui. Excuse-moi. J'attendais que quelqu'un d'autre me rappelle.

— J'avais compris. Je ne vais pas te déranger. Si tu veux simplement me laisser entrer...

— Où es-tu ?

— En bas de chez toi.

Elle alla jeter un coup d'œil par la fenêtre. Il n'y avait pas la BMW d'Ivo, juste une camionnette. Il avait dû deviner qu'elle préférait adopter un profil bas.

— Je suis très occupée. Tu ne peux pas déposer ce que tu apportes dans la boîte aux lettres ?

— C'est trop volumineux.

Il ne lui restait plus d'argument pour refuser, aussi

le laissa-t-elle entrer. Après avoir ouvert la porte de son appartement, elle se réfugia en haut de l'échelle, pour mettre un minimum de distance entre elle et lui. S'il la voyait au travail, il comprendrait le message et ne s'attarderait pas.

Elle l'entendit arriver dans l'entrée.

— Dépose cela par terre.

— Je vais faire un autre voyage.

Quoi ? Qu'apportait-il donc ?

Avait-il décidé de déménager lui-même sa garde-robe ?

Oh, dans ce cas, il ne faisait que lui rendre service.

Elle l'entendit poser de nouveau quelque chose.

— C'est bon.

— Ne peux-tu pas tout laisser dans le couloir ?

— Cela n'y sera pas très utile.

La curiosité fut la plus forte.

Elle ne l'avait jamais vu habillé comme aujourd'hui. Il portait un jean moulant, et un T-shirt si usé que l'on y discernait à peine l'image d'un groupe de rock.

Elle tourna son regard vers le carton qu'il avait déposé sur le sol. Il ne contenait pas sa garde-robe, mais des pinceaux, des brosses, du papier de verre — tout l'outillage du peintre.

— Mais qu'est-ce que tu fais avec tout cela ?

— Le plafond sera fini plus vite si l'on s'y met à deux. J'ai apporté ma propre échelle.

En effet, il alla la prendre dans le couloir, la mit en place dans l'autre coin de la pièce et, s'armant des outils nécessaires, se mit à l'ouvrage.

— Arrête ! s'écria Belle, lorsqu'elle fut enfin revenue de sa surprise.

C'était bien étrange. Ivo ne faisait jamais de bricolage. Si quelque chose avait besoin d'être réparé, Miranda faisait venir l'un des ouvriers « dignes de confiance » dont elle gardait une liste.

— Tu n'as rien de plus important à faire ? Une société à racheter, ou une fusion à organiser ?

— Et même plus d'une, mais je peux consacrer deux heures à te donner un coup de main.

— Non.

Elle ne voulait pas qu'il vienne prendre la direction des opérations. Ce serait comme avec la voiture : il allait la traiter comme si elle ne savait pas ce qu'elle faisait. C'était sa vie à elle, elle voulait en assumer la responsabilité.

Il ne fit pas attention, comme si elle n'avait rien dit. L'espace d'un instant, elle resta fascinée par les muscles de son bras, tandis qu'il maniait le pinceau.

— Comment savais-tu que j'allais refaire la décoration ?

— J'ai remarqué les échantillons, lundi, et quand je suis venu, tout à l'heure, j'ai vu que tu avais enlevé les rideaux. La déduction semblait logique.

— J'aurais pu faire venir des ouvriers.

— Tu en as deux : Grenville et Davenport.

Il aurait été si facile d'accepter ! De travailler ensemble. Après tout, c'était ce qu'elle avait toujours désiré. Qu'ils puissent être proches l'un de l'autre, dans les petites choses de la vie, comme la plupart des autres couples.

Les lecteurs des magazines croyaient qu'ils formaient le couple parfait, mais elle aurait volontiers renoncé à tout le luxe de son existence pour qu'il vienne partager son lit à la fin de la journée, trop fatigué pour faire autre chose que dormir.

— Si tu veux te former à la décoration, il faut trouver une autre partenaire, et un autre lieu d'entraînement.

Ivo, qui avait misé sur son audace et sa détermination — qualités qui l'avaient bien servi dans le passé — s'interrompit finalement pour l'écouter.

— Tu es vraiment sérieuse.

— Oui.

— Tu ne veux pas de mon aide ?

— Je ne veux l'aide de personne. Je veux... j'ai besoin de faire cela moi-même.

— Tu pourrais regretter d'avoir pris des décisions aussi extrêmes.

Comme il le regrettait déjà, mais il ne faisait que s'apitoyer sur lui-même. Le sort de Belle n'était pas si tragique. L'indépendance et la détermination qu'elle affichait le rendaient même plutôt fier d'elle.

Il descendit de l'échelle.

— C'est une belle pièce.

— Elle le sera, quand la nouvelle moquette sera posée.

Il regarda les clous et les agrafes, qui avaient servi pour d'autres revêtements de sol.

— Il faudrait arracher tout cela.

— C'est prévu.

— Veux-tu que je te laisse les outils ?

Belle crut apercevoir une émotion fugitive dans les yeux gris d'Ivo. Du besoin ? Cela pouvait-il être du besoin ? Ce fut si bref qu'elle ne pouvait en être sûre. Ce fut toutefois suffisant pour qu'elle ait un regret de l'avoir rejeté ainsi. Qu'il ait besoin d'elle, c'était tout ce qu'elle avait jamais désiré.

Mais s'il restait, ce serait selon ses conditions à lui, pas parce qu'elle était incapable de s'en sortir.

— D'un autre côté, ce ne sera pas un travail très agréable, remarqua-t-il en triant les pinces, tenailles et marteaux.

— Pas pire que de peindre un plafond.

Il se mit à arracher les clous et agrafes.

Pendant qu'ils travaillaient, le téléphone sonna encore trois fois.

La première fois, Ivo leva les yeux, mais sans bouger. Le correspondant raccrocha sans laisser de message.

La seconde fois, il proposa :

— Veux-tu que je réponde ?

— Non, ne t'en fais pas.

La troisième fois, aucun des deux ne réagit.

Lorsqu'elle eut fini, elle descendit de l'échelle, les doigts raides. Ivo prit son pinceau et alla le nettoyer, en même temps que le sien.

Ce fut alors que le quatrième appel se produisit.

— Cela arrive si souvent que cela ? Ton numéro est sur liste rouge ?

— Ce n'est rien. Un bug dans un ordinateur. Je contacterai la Compagnie du téléphone pour y mettre fin.

— Les ordinateurs n'écoutent pas l'annonce du répondeur. Je crois plutôt que quelqu'un veut entendre le son de ta voix.

— Quoi ? s'exclama-t-elle en rougissant. Que veux-tu dire ?

90

— Juste que tu ferais bien de changer ton numéro.

— Avec tous les gens que je devrais prévenir ? Cela me ferait perdre un temps fou.

— Ce ne serait pas inutile, si cela arrêtait les appels indésirables… Après tout, y a-t-il tant de gens que ça que tu devrais informer de ton changement de numéro ?

Elle haussa les épaules.

— A vrai dire, pas tant. Mon agent. Toi.

Daisy…

Etait-ce Daisy qui appelait pour écouter sa voix ? Pour avoir le courage de lui parler ?

— Et quelqu'un d'autre, remarqua Ivo. Je m'attendais à lire tout ce qui nous arrive… dans les journaux.

— Ma dernière coupe de cheveux les occupe assez pour le moment.

Le fait que la séparation s'était passée à l'amiable y était sans doute pour beaucoup. Pas de drame, pas de torrent de larmes, pas de troisième protagoniste pour fournir le genre de détails truculents qu'une certaine presse aimait tellement.

Pas de locataires, pour l'instant, à l'étage en dessous, et ceux du rez-de-chaussée devaient croire qu'elle ne venait que pour faire des travaux…

C'était comme si le monde entier jugeait sa séparation d'avec Ivo trop inconcevable pour être.

— Profitons de chaque moment de répit, reprit Belle. La presse saura toujours bien assez tôt.

Puis, comme de toutes façons, il saurait la vérité un jour, elle ajouta :

— Avec un peu de chance, ils seront tellement intéressés par l'autre nouvelle me concernant, qu'ils te laisseront de côté.

— L'autre nouvelle ?

— Mon départ de la télévision.

— Quoi ?

— Bienvenue au club ! Pour l'instant, il compte encore peu de membres. Les dirigeants de la chaîne. Mon agent. Mais attends que cela devienne public, et tu verras l'effet !

— Oui, j'imagine. La télévision du matin ne sera plus jamais la même. Ils ont quelqu'un pour te remplacer ?

C'était tout ? Une légère surprise, et une question sur sa remplaçante ?

— Pour le moment, ils refusent d'y croire. Ils s'imaginent que je veux juste plus d'argent.

— C'est ce qu'ils t'ont proposé ?

— J'ai l'impression que je pourrais rédiger le

chèque moi-même, avec n'importe quel montant. C'est délirant. Personne n'est irremplaçable !

— Tu crois ?

Il réfléchit un instant, puis demanda :

— Tu as d'autres projets ?

— Me reposer un peu. Même si ce ne sont pas les propositions qui manquent. Y compris une somme à six chiffres, comme avance pour rédiger ma biographie.

Celle-ci serait écrite par un nègre. Son agent, Jace Sutton, l'avait rapidement précisé, croyant que l'expression consternée de Belle provenait du fait qu'elle ne s'imaginait pas faire un travail d'écrivain.

— Je garderais cela pour ma retraite, remarqua Ivo.

— N'aie crainte. Je ne lave pas mon linge sale en public.

— Quel linge sale ?

— Aucun. C'est juste une façon de parler.

— Quel est donc ce projet sur lequel tu travailles ?

— Projet ?

— Quelque chose en rapport avec une adoption. Comment savait-il ?

— Tu faisais une recherche là-dessus, l'autre jour.

— Oh, oui ! J'en suis à la phase préliminaire.

Elle se rendit compte qu'il faudrait davantage d'explications pour satisfaire Ivo.

— Si la chaîne veut que je reste, je devrais peut-être exiger, en échange, de produire mes propres documentaires.

— Ce n'est pas la meilleure idée. Si tu veux vraiment faire cela, tu devrais créer ta propre société de production.

— Tu plaisantes ?

— Non. Tu serais bien plus libre. Et je suis sûre que Jace saurait où trouver le financement.

— Non. Ce n'est pas ce que je veux.

— Faire des programmes de télévision coûte cher, répondit-il, en se trompant sur les raisons de son refus.

— Je sais, mais pourquoi les gens risqueraient-ils leur argent en misant sur moi ?

— Le public te fait confiance, Belle. Il t'aime. Je…

Il s'arrêta, hésitant sur la suite de sa phrase.

— Tu ?

— Il faut que je m'en aille.

5.

Il avait presque commis la gaffe. Il avait été à deux doigts de prononcer ce mot dont il ne connaissait pas le sens.

Après qu'elle avait refusé son aide, il avait fait de son mieux pour ne pas paraître trop affecté. Il ignorait même ce qui avait pu le pousser à rester là, alors qu'il ne comprenait que trop bien pourquoi elle l'avait quitté. Après tout, il s'attendait à ce moment. Il avait eu l'intention de compenser le mal qu'il lui avait fait, de lui dire la vérité quand il aurait pu remédier suffisamment à la situation. Mais il y a des erreurs qui ne peuvent être réparées.

Belle avait bien le droit de le quitter.

Pourtant, il était incapable de la laisser partir. La regagner n'allait pas être facile. Il la connaissait : il fallait bien plus qu'un simple coup de tête pour qu'elle mette fin à un mariage qui, de son propre aveu, lui avait apporté tout ce qu'elle désirait. Sauf une chose.

— Le mariage ? s'était-elle exclamée en riant lorsqu'il lui avait demandé de l'épouser. La seule raison qui me pousserait à accepter le mariage est la sécurité. J'épouserais un homme si riche que je n'aurais plus de soucis d'argent pendant le reste de ma vie. Je n'aurais plus à m'inquiéter de savoir si la chaîne va renouveler mon contrat…

— Alors où est le problème ? Dis-moi oui et j'achète la chaîne.

— Mais l'amour ? Tu ne…

— Nous sommes adultes, Belle. L'amour est pour les adolescents.

— Mais alors pourquoi le mariage ?

— C'est un bon moyen pour payer moins d'impôts.

Cela avait été aussi facile que cela. Trop facile…

Il aurait dû savoir que les choses importantes sont plus difficiles à obtenir. Qu'il allait devoir se donner du mal.

Ce qui était plus facile à dire qu'à faire. Exprimer ses émotions, ce n'était pas son fort.

Il avait bien perçu la vulnérabilité de Belle, mais sans chercher à en découvrir les causes. Il s'était contenté de lui promettre ce qu'il pouvait vraiment lui

96

offrir : la sécurité. En devenant sa femme, elle n'aurait plus à craindre de se retrouver sans ressources, parce que les goûts du public ou la politique de la chaîne auraient changé.

Il avait au moins pu connaître une semaine de bonheur. Jusqu'à ce que, dans l'intimité, elle se mette à parler d'un avenir qu'il n'avait jamais envisagé. Elle rêvait d'une vie de famille, qu'elle s'imaginait tout en rose. Ivo savait que cela n'existait pas.

Il aurait dû lui dire la vérité à ce moment-là. Lui donner une chance de s'en aller. Mais il n'avait pas voulu la perdre. Pas plus qu'il ne le voulait à présent.

Sa visite avait été un échec. Mieux valait maintenant utiliser ses atouts pour essayer de sauver son mariage. Il fallait employer l'expérience acquise dans les salles des conseils d'administration. Au fond, songeait-il, ce n'était pas si différent d'une OPA, même si elle risquait de devenir hostile à n'importe quel moment.

La première étape était d'obtenir les bonnes informations. De comprendre ce qu'elle pensait. Ce qui la poussait à agir ainsi. Son équipée dans l'Himalaya lui avait-elle révélé l'existence de forces intérieures qu'elle ne soupçonnait pas ?

Il était trop tard pour se dire qu'il aurait dû consentir à aller avec elle. Il fallait regarder vers l'avenir.

Dans une OPA, il faut donner envie d'accepter ce que vous proposez. C'est un peu comme une opération de séduction. Ce qu'il n'avait jamais fait à Belle. Ce qui s'était produit entre eux relevait plus de l'explosion soudaine.

A présent, il était nécessaire de revenir au point de départ. D'être patient. D'arriver à prononcer un mot qui était absent de son dictionnaire. Qu'il n'était pas sûr de comprendre. Pourtant, la douleur qu'il éprouvait devait bien avoir une raison… Surtout si Belle était la seule qui puisse la soulager.

Il lui fallut un suprême effort de volonté pour résister au désir de la toucher.

Pas cette fois.

Patience…

Après ce qui parut être une année, mais sans durer probablement plus de quelques secondes, Belle se tourna vers lui, et, avant qu'elle ne puisse exprimer ce qu'elle pensait — lui dire de s'en aller — il s'entendit prononcer la phrase :

— Je vais te soumettre une offre. Prends le temps de réfléchir avant de répondre.

Revenant brusquement à la réalité, il enchaîna aussitôt pour éviter de révéler le fond de sa pensée :

— Sais-tu remettre à neuf les boiseries ?

— Il faut laver à l'eau savonneuse, poncer, mettre

une couche d'apprêt, puis du vernis. La vendeuse m'a donné une brochure qui explique tout.

— Bien. Bon, je crois vraiment que je dois m'en aller.

— Merci de ton aide. Tu as épargné bien des soucis à ma manucure.

— S'il te faut quoi que ce soit…

— Je crois que je m'en sortirai seule.

— Je m'en rends compte. A propos, tu as une cérémonie de remise de prix, mardi ?

— Oui. Je n'aurais pas cru que tu t'en souviendrais.

— C'est sur mon agenda. J'ai dit à Miranda que tu passerais prendre certaines de tes affaires. A moins que tu ne veuilles une nouvelle robe qui corresponde mieux à ton nouveau look ?

— J'ai déjà dépensé beaucoup d'argent pour en acheter une, il y a quelque temps. Je viendrai la prendre lundi après les heures de bureau, est-ce que cela te convient ?

— Miranda devrait être là. Sinon, tu as ta clé. As-tu prévu de te faire accompagner par quelqu'un ?

— Jace s'est proposé…

Il hocha la tête. La présence de son agent, à ses côtés, ne paraîtrait pas curieuse.

— Paul est libre ce soir-là, si tu veux qu'il te conduise…

— Non merci. Je me suis déjà organisée.

— Eh bien, bonne chance.

— Merci.

Sa réponse était si formelle, si distante !

Quelques instants plus tard, Ivo était sur le trottoir, à côté de la camionnette qu'il avait empruntée. Il s'arrêta pour observer la décapotable de Belle. Cet achat était à lui seul une déclaration d'indépendance, de séparation. L'envie lui prit de la faire enlever, broyer, réduire à l'état d'un cube de ferraille compressée. Mais quel soulagement cela lui procurerait-il ? Belle avait bien dit qu'elle voulait voler de ses propres ailes. Peut-être fallait-il lui laisser un peu d'espace.

Il avait eu l'intention de revenir le lendemain. Peut-être était-il préférable d'attendre qu'elle l'appelle au secours.

Il remarqua qu'il n'était pas le seul à admirer la voiture de Belle. Une jeune femme aux cheveux teintés de vert, habillée très pauvrement, passait sa main sur la carrosserie. Il se demanda si elle voulait voler la voiture, ou simplement dégrader ce symbole d'une aisance qui devait lui être totalement étrangère.

— Que regardez-vous comme cela ? cria-t-elle.

— La voiture de mon épouse.

Il se rendit compte à quel point ses paroles étaient possessives. Belle ne lui appartenait pas.

Il reporta ses instincts protecteurs sur la voiture.

— Si vous songez à commettre une effraction, je vous conseille fortement d'y renoncer.

La jeune femme resta une seconde immobile, puis, en un geste de défi, avança la main pour déclencher l'alarme de la voiture. Dès que la sirène se mit à hurler, elle détala et disparut.

Belle apparut à la fenêtre. Elle parlait, mais la sirène empêchait de comprendre ce qu'elle disait. Il lui fit signe de jeter ses clés, pour qu'il arrête l'alarme.

Quelques instants après, Belle arriva sur le trottoir. Le silence était revenu.

— J'espère que cela ne va pas se reproduire dès que quelqu'un s'approche !

— Non. C'était juste une fille avec des cheveux verts, qui voulait passer je ne sais quelle rage sur la voiture.

Il lui rendit ses clés et lui dit au revoir. Cette fois, il parvint à s'en aller.

Il conduisit la camionnette dans les rues alentour, essayant, en vain, de retrouver la jeune femme. Cet incident lui semblait bizarre. Comme une mise en scène. Il n'arrivait pas à y croire — pas plus qu'à cette histoire de documentaire.

Pourquoi était-elle allée consulter ce site consacré à l'adoption ?

Se pourrait-elle qu'elle ait eu un bébé lorsqu'elle était adolescente ? Cet enfant aurait atteint l'âge où il pourrait essayer de retrouver sa mère…

Et d'où venaient ces appels silencieux ?

Avait-elle été rejetée par sa famille ? Reniée, comme dans les tragédies ? Y avait-il encore des gens qui faisaient cela ?

Cela pourrait expliquer pourquoi elle ne lui avait jamais parlé de sa famille…

Et même beaucoup plus.

Mais le plus pénible, pour Ivo, n'était pas que Belle ait un secret à cacher. C'était le fait qu'elle ne voulait pas le lui confier, à lui qui était tout de même son mari. Il n'aurait jamais cru qu'il était possible de souffrir à ce point du seul fait d'être tenu à l'écart.

Les cérémonies de remises de prix n'étaient pas nouvelles pour Belle. Mais arriver seule, marcher sur le tapis rouge sans Ivo à ses côtés, lui faisait éprouver un pénible sentiment de manque, de solitude. Même sa robe de soie couleur crème, et le collier de perles fines que son mari lui avait acheté, l'année précédente, ne suffisaient pas à la mettre à l'aise.

Privée de sa présence, elle dut combattre l'envie de fuir. Elle se força quand même à faire bonne figure, montrant un grand sourire de façade aux caméras, répondant « merci » quand quelqu'un cria « quelle coiffure superbe ! »

Elle se dit que Daisy regardait peut-être la retransmission de la cérémonie.

Ce qui n'était pas le cas d'Ivo. Son intérêt pour la télévision se limitait strictement aux informations politiques et financières.

Il lui avait tout de même fait envoyer des freesias, avec une carte écrite de sa main. On y lisait simplement « Ivo ». Pas de mot d'amour. C'était bien typique de sa part.

C'étaient les mêmes fleurs qu'il avait envoyées après leur nuit de noces, où ils avaient fait l'amour éperdument…

Elle chassa cette pensée. Il n'y avait rien de romantique dans ce cadeau. C'était le geste d'un homme qui savait mettre le prix lorsqu'il voulait quelque chose. Rien de plus.

Elle avait cru qu'il la laisserait partir, mais, à son grand étonnement, il était venu, en personne, chez elle. Ce qui ne manquait pas de créer en elle une certaine confusion.

Elle ne put s'empêcher de penser que, lorsque Ivo avait envoyé Paul lui rapporter ses bijoux, au lieu de venir lui-même, son absence lui avait fait aussi mal que le manque de réponse de sa sœur.

Ivo était installé devant l'écran de télévision. Pour une fois, il resta devant le petit écran après le journal télévisé, sachant que la cérémonie, avec Belle, allait suivre.

Il la vit donc à la télévision — ce qui ne lui était pas arrivé souvent — et remarqua avec stupéfaction à quel point elle paraissait à l'aise. Avait-il espéré qu'elle ait l'air un peu perdue ? Ce n'était nullement le cas. La seule douleur qu'il percevait était la sienne…

Il éteignit le téléviseur. Ce fut alors que son majordome frappa discrètement à la porte de la bibliothèque.

— Excusez-moi de vous déranger, monsieur Grenville, mais il y a là un policier qui cherche madame Grenville.

La soirée fut interminable. Non pas que Belle s'ennuyât, car Jace Sutton, qui était au courant de tout ce qui se passait dans les coulisses de la télévision, se montrait un compagnon intarissable.

Elle fut très surprise lorsque le présentateur de la soirée, le même homme qui lui avait donné sa première chance, ouvrit une enveloppe et prononça à haute voix : « Belle Davenport. »

Elle dut monter sur la scène, ce qui lui prit un certain temps, à cause de toutes les mains qui se tendaient sur son passage, et qu'elle ne pouvait ignorer.

Elle sentit les larmes lui monter aux yeux lorsqu'elle prit le trophée dans ses mains.

— Ce trophée porte mon nom, mais il appartient en fait à tous ceux grâce à qui vous pouvez regarder chaque matin « Le petit déjeuner avec Belle. » Il faudrait écrire les noms de tous ceux qui travaillent dur en coulisse, sans qui je ne serais rien, et aussi des membres de leur famille, qui les voient partir de chez eux à 4 heures du matin, et qui ne peuvent jamais sortir le soir, parce que nous devons tous nous coucher à 21 heures !

— Ivo Grenville a de la chance, lança une voix.

Il y eut un éclat de rire général, ce qui lui donna le temps de trouver sa réponse.

— Belle Davenport a de la chance ! répliqua-t-elle quand le rire diminua.

Puis elle enchaîna :

— Certains d'entre vous savent déjà que la semaine prochaine sera la dernière que je passerai sur le divan du studio…

Un silence tomba soudain sur la salle. Quelques « non ! » fusèrent.

— Je dois continuer mon chemin, mais je voudrais remercier tous ceux qui m'ont aidée pendant ces années. J'espère que vous vous montrerez aussi gentils avec la personne qui me remplacera !

Incapable d'ajouter un autre mot, elle fit simplement face à la foule qui l'applaudissait.

Comme si un étrange magnétisme l'attirait, son regard se dirigea vers la porte de la salle, où se tenait le seul spectateur qui ne souriait pas, et n'applaudissait pas. Ivo.

Elle descendit les marches et se dirigea vers lui. En même temps que la salle retombait dans le silence, elle se trouva assez près de lui pour le toucher.

Ce n'était pas une illusion. Il était bien là, en chair et en os. Elle remarqua ensuite qu'il n'était pas en tenue de soirée. En un éclair, elle comprit qu'il n'était pas venu pour assister à son triomphe. Il était là parce que quelque chose venait de se produire.

— Qu'est-ce qui se passe ?

— Pas ici.

Il lui prit la main et l'entraîna au milieu d'une mer

d'appareils photo et de flashes. Il la mena à l'extérieur et la fit entrer dans sa voiture.

— Que se passe-t-il ? Tu peux me le dire, à présent !

— La police te cherche. Ou plutôt, elle cherche Belinda Porter. Des agents se sont rendus à ton appartement. Les voisins leur ont expliqué qui tu es. Ils leur ont donné mon adresse.

— Je suis désolée…

— Non, c'est moi qui suis désolé d'avoir gâché ta soirée.

— Il y a eu un cambriolage ?

— Non.

Bien sûr que non. Il aurait su s'en occuper lui-même.

Belle remarqua qu'Ivo conduisait à vive allure.

— Je ne comprends pas. Personne ne sait que j'habite là.

A part Claire et Simone, toutes deux à des milliers de kilomètres. Et son agent.

Ainsi que… Daisy.

— Ils ne m'ont pas donné de détails, Belle. Ce soir, on a admis aux urgences quelqu'un qui n'avait sur soi qu'une lettre portant ton nom et ton adresse. Ils n'avaient personne d'autre à contacter.

— A l'hôpital ? Mais… elle est inconsciente ?

— Elle se serait effondrée dans la rue. Ils ne m'ont rien dit de plus.

— Non, ce n'est pas possible !

Elle ne sut pas quoi ajouter.

Mais pour Ivo, elle en avait déjà assez dit : le mot le plus important était sorti de sa bouche : « Elle ».

Ivo avait pris soin de ne pas mentionner s'il s'agissait d'un homme ou d'une femme, mais Belle avait su sans hésiter que la personne était de sexe féminin. Donc c'était vrai. Elle avait une fille.

Il attendit qu'elle se confie, mais elle resta muette.

Une fois arrivés devant l'hôpital, il se décida finalement à rompre le silence.

— Nous nous occuperons d'elle.

Elle secoua la tête.

— Il n'y a pas de « nous. » Je te remercie de tout ce que tu as fait ce soir, mais maintenant, je peux faire face toute seule.

— Tu ne veux peut-être plus vivre avec moi, Belle, mais je suis encore ton mari.

— Nous n'avons jamais formé un couple, Ivo.

Sur quoi, elle sortit de la voiture.

Il resta pétrifié un moment, incapable de bouger, même s'il savait qu'il aurait dû courir pour la rattraper, qu'elle aurait besoin de lui…

« Nous n'avons jamais formé un couple. »

Etait-ce la vérité ?

Il avait voulu son corps. Ainsi que la chaleur qu'elle apportait dans sa vie. Que lui avait-il jamais donné en retour, à part la sécurité matérielle ?

Même à présent, il faisait des plans, comme si elle était un bien qu'il voulait posséder, contrôler.

Pas une femme qu'il admirait davantage chaque jour. Qui lui manquait de plus en plus, et sans qui il ne voulait pas vivre.

« Nous n'avons jamais formé un couple. »

Ces mots brûlaient dans son esprit.

Il se rendait compte qu'il avait mal abordé le problème. Ce n'était pas seulement une question matérielle : tous les cadeaux du monde ne la ramèneraient pas vers lui. La sécurité, ce n'est pas seulement un portefeuille bien garni. Elle comportait aussi un aspect psychologique. Il n'avait rien donné dans ce domaine — parce qu'il en était singulièrement démuni.

Comment se procure-t-on ce qu'on ne peut acheter ?

Juste à ce moment, son téléphone sonna, lui offrant, sinon une réponse, du moins une autre chance de se racheter.

*
**

Belle ne prêta pas attention à l'intérêt que suscita son arrivée au service des urgences.

Après être passée à la réception, elle fut emmenée dans une salle où une jeune femme était allongée. Elle était maigre, pâle, vêtue uniquement d'un T-shirt et d'un jean noir. Belle essaya de ne pas montrer le choc qu'elle éprouva.

— Daisy ?

Celle-ci ne répondit pas. Elle devait avoir dix-neuf ans, presque vingt, et elle avait l'air si jeune, si pathétique...

Elle était loin de l'image de la petite fille qu'elle avait conservée dans sa mémoire.

— Est-elle blessée ?

— Le médecin n'a trouvé aucune trace de violence.

— Est-elle anorexique ?

— Elle est enceinte, mademoiselle Davenport.

— Enceinte !

— Elle s'est évanouie. Cela arrive. Cela risquerait moins de se produire si elle mangeait régulièrement, si elle recevait un peu d'aide et d'affection. Vous la connaissez ?

Daisy, qui avait repris conscience, se contenta de la regarder avec des yeux qui n'exprimaient aucune émotion.

— Oui. Je la connais. En fait… Il y a très longtemps que je ne l'ai pas vue. Vous allez l'admettre ?

— C'est un hôpital, pas un hôtel.

— Elle ne peut pas attendre demain pour manger quelque chose !

— Nous ne sommes pas non plus un café ouvert la nuit.

— Non. Je suis désolée. Je vais m'arranger pour l'emmener. Je peux ?

— Si vous en voulez, elle est à vous.

Quelques secondes plus tard, Daisy se leva lentement, mit une paire de vieilles chaussures de sport, prit son manteau et se dirigea vers la porte sans dire un mot.

Belle se précipita vers elle, comprenant qu'elle risquait de la perdre une deuxième fois.

— Attends ! Daisy, s'il te plaît…

— Je ne leur ai pas demandé de t'appeler !

— Je sais. Mais je suis là.

Daisy s'arrêta, mais sans regarder Belle.

— Assieds-toi. Prends un chocolat. Cela te réchauffera…

— Je n'ai pas d'argent.

— Prenez cela.

Ivo venait d'apparaître dans la pièce.

— Tu as oublié ton sac dans la salle de cérémonie,

expliqua-t-il. Jace l'a rapporté à la maison et Miranda m'a téléphoné pour me prévenir. Elle a pensé que tu aurais besoin de tes clés.

— O... oui, fut-elle obligée d'admettre.

Ce fut alors qu'il se tourna vers Daisy.

— Nous nous sommes déjà rencontrés.

Daisy ne répondit pas. Elle se dirigea silencieusement vers la porte.

— Quand ? demanda Belle. Tu l'as déjà vue ?

— C'est la jeune femme qui voulait s'en prendre à ta voiture.

— Je croyais qu'elle avait les cheveux verts.

— C'était il y a quatre jours. En fait, je la préfère en bleu. Cela s'accorde bien avec ses yeux.

— Que veux-tu dire par là ?

— Rien. Ne devrions-nous pas la rattraper ?

6.

« Nous n'avons jamais formé un couple… »

Elle avait dit ces mots pour le pousser à s'en aller, et elle le soupçonna d'utiliser « nous », à présent, pour lui montrer à quel point elle avait tort.

Ce qui était inutile.

Ce moment resterait à jamais dans la mémoire de Belle, aussi précieux que tous les souvenirs de gestes amoureux qui chassaient toutes les autres pensées de son esprit.

— Belle ?

— Oui ? Où est-elle allée ?

— Pas loin, répondit Ivo, très sûr de lui.

— Il faut la retrouver ! Elle a froid, elle a faim…

— Là-bas ! De l'autre côté de la route !

Belle descendit les marches en courant. Ivo la précéda.

— Monte dans la voiture !

Belle ne fit pas attention et rattrapa sa sœur.

113

— Daisy, attends ! Où vas-tu ?

Celle-ci s'arrêta finalement, et, lorsqu'elle se tourna vers Belle, ce fut avec une telle colère dans le regard que Belle recula d'un pas.

— Pourquoi es-tu venue ? Tu m'as abandonnée !

Puis elle ajouta, avec mépris :

— Ce n'est pas toi que je cherchais. Je voulais retrouver mon père !

— Pourquoi ? s'écria Belle, stupéfaite. Il est parti en nous laissant tomber, maman et moi, et toi aussi. Tout ce qui est arrivé est de sa faute…

— Menteuse !

— C'est vrai !

Comment Daisy pouvait-elle en avoir le moindre souvenir ? Elle n'était qu'un bébé à l'époque. On lui avait dit que sa mère était morte et que sa sœur s'était débarrassée d'elle. Que lui restait-il, sinon l'image idéalisée d'un père ? Quel autre espoir avait-elle ?

Belle se força à repousser les mauvais souvenirs. Si c'était ce que Daisy voulait, ce dont elle avait besoin, elle découvrirait ce que leur père était devenu.

— Nous avons de meilleures chances de le retrouver à deux, Daisy.

— Comme si cela t'intéressait !

— C'est ce qui t'intéresse qui a de l'importance pour moi.

114

Ivo vint se garer près d'elles, descendit de la voiture et enleva son manteau pour le passer sur ses épaules, comme s'il était la seule personne qui pouvait prendre soin d'elle. Et c'était peut-être le cas.

Belle entendit de nouveau la voix de Simone disant « Ivo pourrait t'aider… »

Leur père serait bien plus difficile à retrouver que Daisy. Si quelqu'un pouvait y parvenir, c'était bien son mari.

Elle secoua la tête. Elle devait le faire seule.

— Je t'aiderai, Daisy. Il y a des agences spécialisées dans les recherches de membres de la famille.

— Tu n'es pas ma famille ! cracha Daisy.

Ivo vit Belle frémir.

— Belle, s'il te plaît… Et vous aussi, Daisy. Toutes les deux. Montez donc dans la voiture.

Daisy lui fit savoir en quelques mots fleuris ce qu'il pouvait faire de sa voiture.

— Inutile de rester ici sous la pluie, répondit-il. Tout ceci vous concerne. Je vous laisse parler.

— Pourquoi voudrais-je lui parler ? Elle m'a abandonnée, elle n'a jamais voulu savoir ce que je devenais !

— Non !

Le cri de Belle vibrait d'une émotion déchirante.

— Cela suffit, trancha Ivo. Je vais vous donner

de l'argent pour pouvoir manger, mais je ne vais pas laisser Belle sous la pluie vous écouter l'insulter et vous apitoyer sur vous-même !

— Me laisser ? répliqua Belle avec colère. Me laisser ?

— Cela ne t'avancera à rien d'attraper une pneumonie.

— Tu ne comprends pas ? Je me moque bien de ce qui m'arrive. C'est de Daisy dont je me soucie !

— Oh, je comprends, crois-moi.

— Cela ne te concerne pas. Ce n'est pas notre affaire à tous deux. Si je la laisse seule, où ira-t-elle ?

— Au même endroit qu'hier soir, j'imagine. Demande-lui donc où elle était ?

— Non.

Belle savait où les femmes sans abri passaient la nuit. Elle connaissait le froid, la peur. Elle avait vécu cela avant.

— Non, répondit-elle, autant à elle-même qu'à Ivo. Je ne peux pas prendre ce risque.

— Quel risque ? reprit-il en se tournant vers Daisy. Elle a passé des jours à rôder autour de ton appartement, et à composer ton numéro. Tu crois peut-être que c'est une coïncidence, si elle s'est évanouie dans la rue en n'ayant que tes coordonnées sur elle ? Elle

116

fait en sorte que tu la poursuives, Belle. Elle n'ira nulle part où tu ne puisses pas la retrouver.

— Qu'est-ce qui te rend aussi cynique, Ivo ?

— Je ne suis pas cynique, Belle, Je suis réaliste.

Il ouvrit la portière arrière.

— Qu'en dites-vous, Daisy ? Un bain chaud, un bon lit, un bon repas. On ne peut rêver mieux.

— Mettez votre bain là où je pense. Je n'en ai pas besoin, pas plus que de vous.

— Vous ne me comprenez pas. Supposez que je vous propose de l'argent en plus ? Cent livres ?

L'argent était le seul argument qui lui restait. Il savait que très peu de gens y étaient insensibles...

— Ivo !

— Mille livres ? persista-t-il, ignorant le cri outragé de Belle.

— Je vous déteste !

Puis, le menton relevé, elle jeta :

— Cinq mille livres !

Devant l'expression de Belle, il ne put en supporter davantage. Elle ne méritait pas cela.

— Je vous déteste tous les deux ! cria encore Daisy.

En un éclair, elle enleva le manteau et le jeta à Belle. Tout alla si vite que, le temps que Belle rattrape le manteau, sa sœur avait disparu. Comme par enchantement. Pourtant, dans son état, elle n'avait pas dû courir bien vite : elle devait se cacher dans l'une des ruelles entre les bâtiments.

Ivo jura, furieux. Il n'avait pas imaginé que cela se passerait ainsi. Il avait eu la certitude qu'après que Belle aurait retrouvé son enfant, il pourrait lui dire la vérité. Il avait su que ce ne serait pas facile, mais il croyait avoir acquis assez d'expérience en affrontant les humeurs difficiles de Miranda…

C'était comme s'il était devenu le père de Belle.

— Je suis désolé, Belle.

— Aide-moi à la retrouver !

Ils fouillèrent chacune des ruelles et des passages qui donnaient sur la rue en appelant « Daisy ! », mais en vain.

Ce fut seulement lorsque Belle commença à claquer des dents sous la pluie froide qu'elle accepta qu'Ivo la ramène à la voiture. Même là, elle insista pour qu'il conduise lentement, dans l'espoir d'apercevoir Daisy. Elle ne prit pas la peine de lui adresser des reproches. Les mots étaient inutiles. Elle le haïssait autant que sa sœur devait le haïr.

Et il se haïssait lui-même. Il avait voulu protéger Belle, mais n'avait gagné qu'à la blesser encore plus.

Belle insista pour continuer les recherches. Ce ne fut qu'après minuit qu'il exigea d'arrêter, non parce qu'il n'en pouvait plus, mais parce que Belle n'était plus en état d'en faire davantage.

— Cela ne sert à rien. Je veux bien chercher toute la nuit, mais si elle veut se cacher, nous n'avons aucune chance.

— Tu m'as dit qu'elle voulait que je la trouve.

— Oui, c'est ce qu'elle souhaite, Belle. Mais elle n'en est peut-être pas encore consciente. Je vais te ramener chez toi. Je te promets de ne pas abandonner…

— Tu as raison. Cela ne sert à rien. Elle sait où je suis.

Lorsqu'ils arrivèrent à l'appartement de Belle, elle frissonnait tellement qu'elle dut lui donner ses clés pour qu'il ouvre la porte. Il la suivit, et, pendant qu'elle se changeait, lui prépara une boisson chaude.

— C'est bon, dit-elle en savourant le chocolat, auquel Ivo avait mélangé un soupçon de cognac. Daisy n'aura pas cela.

— C'est son choix. Elle pourrait être là avec nous. Mais elle veut te punir. Te faire souffrir.

— Elle n'est pas la seule. Qu'as-tu mis dans le chocolat ?

— Cela te fera du bien. Bois.

Puis, comme il fallait aider Belle à comprendre :

— Elle croit qu'en se faisant elle-même du mal, cela te fera plus souffrir que n'importe quoi d'autre.

119

— Comment le sais-tu ?

— C'est vrai, non ?

Belle hocha la tête.

— Elle reviendra quand elle estimera que tu as assez souffert. Demain. Après-demain.

— Et si demain, c'est trop tard ? Elle est si maigre, Ivo… Si seulement j'avais pu lui donner quelque chose à manger ! Elle a besoin qu'on s'occupe d'elle. Et je n'ai pas le moindre indice pour la retrouver !

— Que sais-tu exactement, Belle ?

Elle était assez riche et connue pour que des gens sans scrupule tentent de profiter d'elle…

— Es-tu bien sûr que ce soit la fille que tu cherches ?

— Elle avait ma lettre. Elle était inscrite auprès des services d'adoption, et je lui ai écrit. Par quel autre moyen aurait-elle pu me trouver ? Mon numéro de téléphone…

— Tu crois que c'était elle qui appelait ?

— Je ne sais pas. Je suppose… J'espérais…

— Je suis sûr que tu as raison.

Il l'encouragea à se serrer contre lui pour trouver un peu de réconfort. Il avait envie de l'entourer de ses bras et de ne plus la lâcher.

Ce n'était pas pour lui-même qu'il était là, mais pour cette femme pour qui il était prêt à faire n'importe quoi. Cette femme qu'il… aimait. Le mot surgit dans son esprit, comblant un vide.

Belle, épuisée, posa la tête sur la poitrine d'Ivo.

Ivo avait été si étrange ce soir. Plein d'affection. Puis détestable. Tout retourné. Comme elle. Il y avait eu un moment où elle s'était mise en colère quand Daisy avait exigé de retrouver son père. Elle avait été fière d'elle lorsqu'elle avait défié Ivo. Cinq mille livres ? Non mais !

— Combien de lettres lui as-tu écrites ? demanda-t-il.

— A Daisy ? Une seule.

— Je ne parle pas de celles que tu as envoyées. Combien en as-tu écrites ?

— Oh. Quelques-unes.

— Qu'en as-tu fait ? As-tu une déchiqueteuse, ici ? Ou les as-tu jetées dans une poubelle, où n'importe qui pouvait les ramasser ?

— Non ! Non !

Pas « non » à cette question, mais « non » à ce qu'elle impliquait. Belle ne voulait pas croire qu'on s'était joué d'elle, que quelqu'un avait trouvé ses lettres et s'en était servi pour l'abuser.

Belle s'écarta, mais Ivo la serra plus fort contre lui, percevant chez elle une angoisse qu'il ne pouvait apaiser.

— Je sais ce que tu as éprouvé. Il m'a fallu un certain temps pour comprendre, mais je savais que quelque chose te tourmentait. Tu n'as pas pensé pouvoir le partager avec moi… C'est ma faute, pas la tienne. C'est quand j'ai vu que tu allais sur un site consacré à l'adoption, que j'ai tout deviné…

— Ivo…

— Ce soir, quand je t'ai dit que quelqu'un s'était évanoui, tu ne m'as pas demandé qui c'était. Tu le savais. Tu as dit « elle ». Alors je vais te révéler ce que je sais. Tu as eu une petite fille… tu l'as fait adopter…

— Daisy ? Tu penses que…

— Tu la cherchais. Ce soir, tu as cru que tu l'avais trouvée.

— Trouvée ?

Elle soupira, et ferma les yeux, comme pour chasser de sa tête des images devenues trop pénibles.

Elle avait les yeux cernés, remarqua Ivo. Depuis combien de temps n'avait-elle pas dormi normalement ? A force de se torturer avec des problèmes qu'elle était impuissante à régler ? Pourquoi n'était-elle pas venue lui demander son aide ?

Non, cette dernière question était inutile.

Leur mariage n'avait aucune dimension affective.

Ils auraient très bien pu rester deux adultes qui partageaient le même lit, sans autre engagement. Mais Belle recherchait la sécurité, et lui la voulait, elle, alors ils avaient conclu un arrangement. Formé un partenariat dans un intérêt mutuel. Peut-être étaient-ils faits l'un pour l'autre : chacun avait obtenu ce qu'il voulait. Sans toutes ces émotions, qui aurait souffert ?

Il était trop tard pour se lamenter, à présent qu'il avait découvert qu'il y avait autre chose.

— Je sais que ce n'est pas ce que tu as envie d'entendre maintenant, mais je dois poser cette question : es-tu absolument sûre que ce soit la fille que tu tentais de revoir ?

Elle resta un moment silencieuse. Il ne lui était pas venu à l'esprit de vérifier si cette fille était bien Daisy, de poser quelques questions dont la réponse n'était pas dans l'une de ses lettres.

Elle était moins cynique qu'Ivo. Peut-être que cela la rendait plus humaine. Mais clairement, elle était aussi plus vulnérable, à la merci de gens sans scrupule.

— Belle…

— Elle ne voulait pas de moi. C'était son père qu'elle recherchait.

Cela lui faisait plus mal qu'il ne l'aurait cru possible.

Quelque part, il y avait un homme qui lui avait donné ce qu'il ne pouvait lui offrir — un enfant. Un homme qui ne savait pas quelle chance il avait…

— Je la retrouverai, Belle. Je le trouverai lui aussi, si c'est ce qu'elle veut. Si c'est vraiment ta fille… alors elle est aussi la mienne.

— Non ! Non, Ivo…

Bien sûr que non ! Comment pouvait-il être assez fou pour imaginer…

— Ivo, tu ne…

— Je l'ai vue, Belle. Cela ne va pas être facile. Vous allez avoir besoin d'aide. Je vous l'apporterai si…

Elle ouvrit de grands yeux, et, cette fois, tout ce qu'elle put faire fut de secouer la tête pour l'empêcher de prononcer la fin de la phrase qu'elle devinait : « si elle est ta fille. Pas une menteuse qui cherche à t'escroquer. »

Mais Ivo voulait enfoncer le clou. Il fallait bien que l'un des deux soit capable de voir la vérité en face, et c'était plus facile pour lui. Il devait lui faire prendre conscience de la réalité. Même si elle ne le lui pardonnait jamais.

— Elle ne te ressemble pas tellement, observa-t-il.

— Oh, je vois. C'est vrai que je n'ai pas les cheveux bleus.

124

— Ni les yeux.

— Ce n'est pas impossible, je sais…

— Mais tu veux dire que c'est génétiquement improbable ?

— Oui. Je suis désolé.

— Pourquoi être désolé de dire la vérité, Ivo ? Tu as raison. Mais en même temps, tu te trompes complètement.

— Chérie…

— Daisy n'est pas ma fille, Ivo. Elle est très frêle, elle a l'air d'une adolescente, mais elle n'a que dix ans de moins que moi. C'est ma sœur. Ma demi-sœur, exactement. Nous avons eu deux pères différents. Le mien est mort, le sien est parti.

Il en resta bouche bée.

Ce n'était pas sa fille ?

Brusquement, il y eut un vide, là où un besoin psychologique avait temporairement été comblé.

— C'est ta sœur ?

— On dirait que tu en es plus bouleversé que moi.

— Non. Je…

— Ne te reproche rien, Ivo. Tu as bien le droit d'être choqué. Elle était tout ce que j'avais, et je l'ai abandonnée.

125

— Mais tu la cherchais ! Je t'ai vue te connecter à ce site…

— Elle a été adoptée. Moi pas.

— Pourquoi ? Qu'est-ce qui vous a séparées ?

— Elle avait quatre ans. C'était une petite fille modèle. Blonde, les yeux bleus, un sourire qui éclairait une pièce. J'en avais quatorze. J'étais une adolescente rebelle, toujours en fugue. Je vivais dans la rue, j'ai vu des choses qu'aucun enfant… Daisy a été placée dans une famille d'accueil. J'ai été admise à l'hôpital avec la même infection pulmonaire qui a tué ma mère.

— A laquelle Daisy a échappé ?

— Oui. Ma mère lui donnait le peu de nourriture que nous avions. Je lui donnais la plus grande partie de la mienne. Elle n'avait jamais faim. Ni froid. Elle passait toujours en premier.

— Tu as fait ce que tu jugeais être le mieux pour elle.

Ce n'était pas une question. Comment aurait-il pu en douter ? Il avait vu avec quelle détermination elle avait voulu aider les enfants qui vivaient ce qu'elle-même avait vécu. Il comprenait, à présent, pourquoi son équipée dans l'Himalaya avait été si importante pour elle.

Il avait toujours su qu'il y avait un mystère dans

126

le passé de Belle. Sa vie semblait avoir commencé lorsqu'elle était arrivée à la télévision : rien ne lui restait d'avant, pas même des amis. Il avait vécu trois ans avec elle et ne savait rien d'elle.

Les questions se bousculaient dans sa tête. Qu'est-ce que leur mère avait pu fuir ? Deux enfants, l'une presque un bébé. Comment avaient-elles survécu ?

Mais il chercherait les réponses plus tard. Il y avait plus urgent s'il voulait s'assurer que cette fille était qui elle prétendait être.

— Les services sociaux vous ont séparées à la mort de votre mère ?

— Ma pauvre mère avait tellement peur des services sociaux… Elle craignait de nous perdre. Elle ne voulait jamais que j'appelle au secours. Un matin, je n'ai pas pu la réveiller. Je savais qu'elle me le reprocherait, mais cela a été plus fort que moi. J'ai appelé une ambulance. Je ne voulais pas qu'elle meure.

— Tu as fait ce qu'il fallait.

— Non, Ivo. J'aurais dû le faire une semaine plus tôt, quand il restait encore une chance…

— Tu t'en veux ?

— Qui donc ne se ferait aucun reproche ?

— Ils n'auraient pas dû vous séparer.

— A cette époque, ils n'hésitaient pas à briser des

familles entières. J'ai lu des histoires déchirantes, Ivo. Des jumeaux qui ne savaient pas ce que l'autre était devenu. Des frères, des sœurs qui se sont retrouvés après un demi-siècle. Cela n'arriverait plus maintenant. Même à l'époque, ils ne l'auraient sans doute pas fait s'il n'y avait pas eu un tel écart d'âge. Daisy était encore assez petite pour oublier, pour avoir une chance de vivre une vie normale. Dans une vraie famille. Pour moi, il était déjà trop tard.

— Il n'est jamais trop tard.

— J'étais tellement en colère… Non, ce n'était pas de la colère, mais de la jalousie. J'étais jalouse d'une petite fille qui savait sourire, se faire aimer… Je n'ai pas pu lui pardonner, alors je me suis sauvée. Tu avais raison, Ivo. Comme toujours.

— Comment cela ?

— Tu disais qu'elle voulait me punir, et ce soir, elle l'a fait de la seule manière qu'elle connaisse, celle que je lui ai enseignée : en me tournant le dos et en s'en allant.

— Elle reviendra.

— Tu crois ? Elle m'a dit qu'elle cherchait son père.

— Tu peux l'y aider et elle le sait. Elle a ton adresse dans sa poche. Pourquoi la garderait-elle si elle ne projetait pas de s'en servir ?

Belle ne répondit pas mais se mit à bâiller. La fatigue commençait à faire son œuvre.

Ivo aurait voulu déplacer des montagnes pour elle, lui prendre sa douleur pour s'en charger, mais il savait qu'elle ne le permettrait pas. Elle vivait dans un monde de culpabilité dont elle devait se sortir elle-même.

L'argent, la puissance ne signifiaient rien dans une telle situation. Tout ce qu'il pouvait faire était la tenir contre lui, même si elle le repoussait sans cesse.

Peut-être était-ce la seule aide possible.

Au moins, peut-être cela suffisait-il pour le moment, se dit-il lorsqu'elle succomba finalement à l'épuisement et sombra dans le sommeil.

Il y avait des semaines qu'elle ne s'était reposée sur lui ainsi, s'endormant dans ses bras. Il prenait toujours un immense plaisir à vivre cela.

— Tout ira bien, mon amour. J'y veillerai.

Elle ne répondit pas. Il sentit une légère douleur dans son dos. Il n'avait jamais rien éprouvé d'aussi délicieux.

7.

Quelque chose de dur se pressait contre la joue de Belle. Elle tourna la tête et tendit la main pour prendre l'oreiller.

Sa main rencontra — quoi, exactement ? C'était chaud et ferme.

Elle s'était endormie sur le divan ?

Elle essaya de se souvenir, mais elle n'était pas encore suffisamment réveillée.

Puis, lorsque la brume du sommeil commença à se dissiper, il devint évident qu'elle n'était pas seule sur le divan.

Elle leva la tête. Ivo la regardait avec des yeux endormis. Elle se sentit rougir.

Elle avait passé la nuit avec lui, la tête posée contre sa poitrine.

Elle l'avait quitté. Elle l'avait chassé de sa vie, le lui avait dit, lui répétant plus d'une fois qu'elle n'avait pas besoin de lui. Mais la veille, malgré la dureté avec laquelle elle avait rejeté sa proposition d'aide, il ne l'avait pas laissée se débrouiller seule, sans son argent ou ses clés — alors qu'elle le méritait bien — mais était venu à son secours. Même quand elle l'avait accusé d'avoir fait fuir Daisy, il avait passé des heures à la chercher avec elle.

Et pour finir, lorsqu'elle lui avait avoué la vérité sur sa vie, il était resté.

Rien ne l'avait forcé à dire en plus « mon amour »...

Non. Elle avait imaginé cela. Il ne faisait pas de telles choses. Dans son rôle de mari, il en faisait le minimum. Il était beau à regarder. Parfait dans chaque détail. Mais froid...

— Je suis désolée, dit-elle.

— De quoi ?

— De tout.

De s'être serrée contre lui. De lui avoir menti.

— De m'être endormie sur toi, dit-elle en choisissant la plus mince des raisons.

— Tu aurais été mieux dans ton lit, mais je ne voulais pas te déranger. Il y avait combien de temps que tu n'avais pas dormi ?

La sonnerie du téléphone les interrompit, arrachant Belle au désir de demeurer dans les bras d'Ivo et d'oublier tout le reste.

— Il est quelle heure ?

— C'est important ?

— Oui…

Réalisant qu'elle lui tenait encore la main, elle tourna la tête pour regarder la montre d'Ivo.

— Non ! Ce n'est pas possible ! Mon réveil…

— Tu as dû oublier de le régler.

— Le studio ! Cela fait trois heures que je devrais y être ! Pourquoi est-ce que personne n'a appelé ? Où est mon BlackBerry ?

— Dans ton sac, je suppose.

— Lâche-moi !

— Mais je ne te tiens pas ! protesta-t-il en levant les mains. C'est ma jambe qui s'est endormie.

— Quoi ?

— Calme-toi. La personne qui t'appelle va laisser un message.

— Mais tu ne comprends pas ? C'est Daisy ! C'est elle !

Le répondeur lut l'annonce, et le correspondant raccrocha aussitôt.

— Elle va recommencer chaque fois. C'est un jeu, Belle.

— Non…

La sonnerie de la porte d'entrée retentit au même

moment. Belle ignora l'Interphone et dévala l'escalier pour ouvrir elle-même.

— Bonjour, Belle, dit Miranda. On dirait que la nuit a été dure. Heureusement qu'Ivo m'a demandé de prévenir le studio que vous ne seriez pas là.

— Pardon ?

— Il ne vous l'a pas dit ? Il est ici ?

Belle hocha la tête. Miranda souleva un sac et un attaché-case et monta l'escalier.

— Je lui ai apporté des vêtements de rechange.

Elles entrèrent dans l'appartement.

— Je suis sûre que tes problèmes sont prioritaires, poursuivait Miranda, mais je viens d'annuler une quantité de rendez-vous, et comme le prochain est avec le Premier Ministre…

— Je ne lui ai pas demandé de rester, remarqua Belle. Mais de quoi parlez-vous ? Quels rendez-vous ?

— Rien d'important, répondit Ivo. Mais tu as raison, Miranda. Je ne peux pas demander au Premier Ministre de changer son emploi du temps. Qu'as-tu apporté là ?

— Du café et un beignet. Tu pourras manger pendant que je te conduis à Downing Street. Je t'attends dans la voiture.

— Ce n'est pas la peine. Gagne du temps et explique toi-même notre position au Premier Ministre.

133

— Tu veux que j'aille à Downing Street à ta place ?

— Il veut mon aide pour un projet à l'étranger. Si cela se fait, c'est toi qui assureras l'essentiel de la direction. Je ne fais qu'éliminer un intermédiaire.

— Oui, mais…

— J'ai besoin que tu fasses cela pour moi, Miranda.

Belle devina qu'il y avait là quelque chose d'important. Que Miranda n'avait pas l'habitude d'une telle confiance.

— Mais… Bon… D'accord… Je te reverrai tout à l'heure ?

— Tout à l'heure, confirma Ivo.

Elle hocha la tête, puis prit la direction de la porte. Belle la suivit par la fenêtre, espérant apercevoir Daisy.

— Ne fais pas cela, lui conseilla Ivo, avant de proposer :

— Du café ?

— Je doute que Miranda ait prévu le petit déjeuner pour moi.

— Nous pouvons partager.

— Nous n'avons jamais rien partagé, à part un lit et une douche.

Et, la nuit précédente, un divan…

Elle préféra aller dans la cuisine. Ne comprenait-il donc pas ? Ce problème n'était pas le sien.

Mais lorsqu'il la suivit, elle oublia tout cela et demanda :

— Comment va ta jambe ?

— Bien.

— Je n'arrive pas à croire que tu aies fait cela.

— Quoi donc ?

— Envoyé Miranda à ta place chez le Premier Ministre. Te rends-tu compte que tu as peut-être sacrifié un titre de chevalier ?

— Tu crois vraiment que cela a de l'importance pour moi ?

— Pour être honnête, Ivo, je n'ai pas la moindre idée de ce que tu penses.

— D'un titre de chevalier ?

— De quoi que ce soit.

— Alors je vais t'éclairer un peu. Il y a quelques jours, j'ai dit à Miranda qu'elle te sous-estimait.

— Je ne t'embarrasserai pas en te demandant ce qu'elle a répondu.

— Cela ne m'embarrasserait pas, mais Miranda ne me pardonnerait jamais de t'avoir révélé que tu lui donnes un sentiment d'échec et d'impuissance.

— Miranda, en situation d'échec ? Je ne peux pas y croire.

— En tant que femme.

— On fait des merveilles avec le silicone, de nos jours.

— Cela n'a rien à voir avec son image. C'est la manière dont les gens réagissent envers toi, ton empathie naturelle. C'est pourquoi je lui ai répliqué que tu ne commettrais pas la même erreur à son égard.

— Oh, je ne la sous-estime pas. J'estime simplement qu'elle doit effrayer les hommes.

Comme il ne fallait pas sous-estimer Ivo, songea-t-elle. Un homme ne parvient pas aussi haut sans être intelligent et capable de s'adapter.

Il avait semblé accepter sa décision, mais elle savait qu'il ne pouvait se résoudre aussi facilement. Il ne s'agissait pas seulement de désir physique : sa fierté exigeait qu'il reprenne possession d'elle, qu'il la fasse revenir dans sa vie, pour reprendre la routine habituelle. Il était prêt à tout pour y arriver ; même à offrir un peu de son temps, pourtant infiniment précieux, si cela s'avérait nécessaire.

— Hum… Il faut que je m'habille. Que j'appelle le studio, pour présenter mes excuses. Et mes conseillers en image. Dieu sait ce que la presse va inventer pour expliquer mon départ soudain…

— Je suis sûr que Jace a déjà dû leur fournir une

explication qui les fera tenir tranquilles, au moins pour le moment.

— Oui. Ce qui m'inquiète, c'est ce qu'ils en feront. Au fait, tu as demandé à Miranda de téléphoner pour moi ? Qu'est-ce qu'elle leur a dit ?

— Qu'il y avait un problème imprévu dans ta famille. Jace et moi avons pensé qu'il valait mieux que ce soit elle qui appelle.

— Oui, évidemment. Qui oserait poser des questions à Miranda ? Mais… ma vie va s'étaler dans les journaux, et cela ne sera pas très beau, Ivo. Il vaudrait mieux que tu t'écartes de tout cela.

— Au contraire. Il faut que tu reviennes à la maison, pour avoir un peu la paix.

— Cela n'a jamais été prévu au programme, Ivo. Tu as signé pour avoir un mariage parfait — aussi longtemps qu'il restait parfait. Cela ne devait pas durer toute la vie.

— Non ?

Elle prit sa tasse et chercha une réponse, mais aucune ne lui vint à l'esprit. Elle comprit ce qu'Ivo avait dû éprouver lorsqu'elle lui avait annoncé son départ, et qu'il était demeuré impassible.

Comme lui, elle découvrait qu'elle n'avait pas les mots qui convenaient à la situation. Elle ne put qu'articuler :

— Tu peux prendre une douche dans la chambre d'amis.

Puis elle disparut dans la salle de bains.

Resté seul dans la cuisine, Ivo considéra le beignet qu'il venait de partager en deux — presque un symbole de leur mariage brisé. Les deux morceaux ne s'assemblaient pas exactement pour refaire un tout : on voyait encore la cassure. La réparation ne pouvait pas être parfaite.

Mais la perfection n'était qu'une illusion. La vie avait ses difficultés et ses risques. Il n'y a pas de rose sans épine.

Belle avait raison. Le mariage parfait était fini. Il était temps de reconstruire un mariage plus ordinaire. En reprenant tout, depuis les fondations.

Belle alluma son ordinateur portable et parcourut les messages. Rien de la part de Daisy. Mais il y avait un message qui venait de Claire. Elle espéra que les nouvelles soient bonnes.

Elles ne l'étaient pas.

C'était la copie d'un message qu'elle avait envoyé à Simone : « Je ne peux pas dire que je sois heureuse que mon linge sale soit bientôt exposé en public… »

Belle laissa échapper un juron. Le journal perdu avait été trouvé par un reporter basé à Sydney, qui n'avait eu aucun mal à les identifier toutes les trois, et qui avait appelé Simone pour en discuter avec elle. Inutile de dire qu'il avait tout lu.

Elle répondit à Simone :

« Simone, je comprends très bien ce que tu dois éprouver… Je suis tout à fait d'accord avec Claire. Dis à ce sinistre personnage ce que nous pensons de lui — ce qui ne devrait pas le troubler ! En ce qui me concerne, Ivo est au courant de tout, alors il peut tout publier si cela lui chante ! Je comprends que ce soit plus difficile pour toi… »

Puis elle répondit à son agent, qui avait laissé un message sur son répondeur.

— Belle ! Tu as de la chance d'être une femme dont la vie a toujours été sans histoire. Sinon la presse n'aurait jamais gobé mon explication. Il serait toutefois souhaitable que tu songes bien à ce que tu vas dire toi-même. Tu sais comment sont les journalistes…

— J'ai une explication crédible. Je ne sais pas si tu l'apprécieras.

— Cela dépend. Si c'est vraiment choquant, je pourrai arracher un supplément sur l'avance de la part des éditeurs, pour ta biographie.

— Mon conseiller financier suggère que je garde cela pour ma retraite.

— Et ma retraite à moi ? Dans trente ans je ne

serai probablement plus là. Et plus personne ne se souviendra de toi, si tu ne prends pas une décision sur les contrats que je t'ai obtenus. Signe donc le renouvellement de ton contrat pour la télévision du matin !

— C'est un risque que je suis prête à prendre. Mais je te rappellerai, Jace.

Elle souriait encore lorsqu'elle arriva dans le salon.

Ivo, les cheveux mouillés, regardait par la fenêtre.

— Tu es encore là ? Je croyais que tu avais ton empire à diriger.

— La douche ne fonctionnait qu'à petite vitesse.

— C'est sur ma liste de travaux.

— Ce n'est pas grave. Tout ne va pas s'effondrer si je suis absent un matin. Tiens, prends tes clés. Tu pourrais en avoir besoin.

— Pourquoi ?

Il fit un geste en direction de la rue. Belle alla voir à la fenêtre. En bas, Daisy était à côté de sa décapotable.

Belle avait déjà ouvert la porte lorsque l'alarme de la voiture déchira l'air. Ivo ne la rattrapa qu'en bas de l'escalier.

— Laisse-moi ! lui dit-elle. C'est à moi de m'en occuper.

— Tu as oublié tes clés.

— Oh…

— Elle est revenue, Belle. Elle veut te voir. Elle a besoin de te parler.

— Oui.

— Veux-tu que je reste ?

— Je…

En dépit de son désir de le voir partir, elle était soudain effrayée.

Il se baissa, lui donna un baiser très bref, mais qui lui fit l'effet d'une décharge électrique. L'espace d'un instant, elle voulut se blottir contre lui, au point d'en oublier le monde extérieur.

— Appelle-moi si tu as besoin de quoi que ce soit. Il te faut quelqu'un en qui tu puisses avoir confiance.

— Ivo, pour hier soir… merci.

Il hocha la tête, ouvrit la porte et partit.

« Au revoir… », pensa-t-elle.

Puis elle sortit dans la rue, où Daisy, l'air plus hostile que jamais, regardait Ivo monter dans sa voiture et démarrer.

Le bruit de l'alarme était assourdissant. Belle l'arrêta.

— Belle voiture, commenta Daisy. Je peux la conduire ?

— Tu as un permis ?

— Oh, laisse tomber.

« C'est un jeu. Elle veut que tu la poursuives… », analysa Belle.

— Je vais préparer le déjeuner. Des sandwichs au bacon.

Pour Daisy, c'était une nourriture de rêve. Du pain blanc épais, des tranches de bacon, du ketchup… Le matin même, elle s'était postée près du petit café où elle avait l'habitude de chaparder de la nourriture aux clients distraits. Mais quelqu'un avait dû alerter les services sociaux, ou se plaindre au patron du café, et un vigile se tenait près de l'endroit où elle-même faisait le guet d'habitude. Daisy s'était sauvée juste à temps, grâce à des instincts aiguisés par son combat quotidien pour survivre dans la rue. Mais le goût du bacon continuait à lui faire mal au ventre.

Après une pause qui sembla durer une éternité, Daisy se tourna et suivit Belle jusqu'à son appartement.

— Quel désordre !

— Je suis en train de tout refaire. Cela ira mieux quand la nouvelle moquette et les nouveaux rideaux seront posés.

— Les moquettes, c'est moche ! Plus personne n'en a, maintenant. Tout le monde a des parquets.

— Ce n'est pas idéal pour les voisins, quand on habite au dernier étage.

— Tes meubles sont bons à jeter !

— Je vais acheter un nouveau divan cet après-midi. Tu veux venir avec moi ? Tu pourrais m'aider à choisir.

— Ce n'est pas ce qui m'intéresse. Tu m'as dit que tu m'aiderais à retrouver mon père.

— Nous pouvons faire les deux, si c'est vraiment ce que tu veux.

— Tu as connu mon père. Je… je n'ai jamais eu personne.

— Maman t'aimait, Daisy.

— Elle est morte.

Belle se retint de dire ce qu'elle pensait. Accuser le père de Daisy n'arrangerait rien.

— Et les gens qui t'ont adoptée, ils ne t'aimaient pas ?

— Ils m'ont menti ! J'ai attendu si longtemps ! J'avais besoin de toi, Bella, et tu n'étais pas là !

Bella. Seule Daisy, incapable de prononcer « Belinda » l'avait jamais appelée ainsi.

— Où es-tu allée ? voulut-elle savoir.

— Nulle part. Juste dans un foyer…

Il était inutile d'apprendre à Daisy que sa famille d'accueil avait exigé de la prendre seule. Sans son encombrante grande sœur, sans rien qui la rattache à son ancienne vie. Belle avait su d'emblée que cette décision était mauvaise, mais elle n'avait pas protesté : personne n'aurait voulu l'écouter.

Elle comprenait ce que Daisy éprouvait : elle avait vécu la même chose.

— Qu'est-ce qui t'est arrivé, Daisy ? Pourquoi vis-tu comme cela ?

— Comme quoi ?

Puis elle ajouta brusquement :

— Je pensais que tu allais me donner à manger.

— Je vais le faire. Veux-tu venir avec moi dans la cuisine ?

Si elle avait imaginé que cette réunion serait heureuse, tous ses espoirs étaient anéantis.

« Simone, Claire, pensa-t-elle, j'espère que c'est plus facile pour vous. »

Elle sortit du bacon du réfrigérateur, et se tourna juste à temps pour entrevoir Daisy glissant quelque chose dans sa poche. Mais que restait-il sur le comptoir ?

Le beignet…

Elle repoussa la douleur que ce geste avait fait naître en elle, et se mit à préparer les sandwichs.

— Veux-tu enlever ton manteau ?

144

La seule réponse de Daisy fut de le serrer encore plus contre son corps.

— Je trouverai ton père, Daisy.

Elle espérait que sa sœur ne souffrirait pas trop, lorsqu'elle découvrirait la réalité.

— Je peux utiliser ta salle de bains ?

— Bien sûr. Prends celle à côté de ma chambre. Celle de la chambre d'amis avait besoin d'être refaite.

— Première porte à gauche.

8.

Ivo gara sa voiture de l'autre côté du pâté de maison, à un endroit où elle ne serait pas visible depuis l'appartement de Belle. Puis il acheta un journal et entra dans le petit café, sur le trottoir opposé, commanda une tasse de thé et s'installa.

Belle avait pris une décision unilatérale : son passé était incompatible avec son avenir. Retrouver Daisy impliquait de le perdre, lui. Elle estimait que, lorsque son passé serait étalé sur la place publique — et l'on pouvait compter sur la presse pour se délecter du plus infime détail — une seule chose compterait pour lui : se séparer d'elle.

Qu'elle puisse penser cela lui faisait mal.

Peut-être avait-elle voulu la sécurité qu'il pouvait apporter, mais il lui fallait plus que cela. Un vrai mariage. Une famille.

Ce n'était pas elle qui manquait de courage. C'était

lui qui n'avait pas voulu faire face à la vie et à ce qu'elle incluait.

Il ne lui reprochait pas de l'avoir quitté ; il lui en était plutôt reconnaissant. Elle l'avait libéré.

Belle, qui s'était crue si vulnérable, qui avait estimé que son succès était dû à son conseiller en image, faisait maintenant l'effort de voler de ses propres ailes. Elle était prête à lui dire qu'elle n'avait plus besoin de s'appuyer sur lui.

S'ils marchaient tous deux sans qu'il ait besoin de la soutenir, il devait à présent s'assurer qu'ils allaient dans la même direction. D'une manière ou d'une autre, il le savait, c'était Daisy qui tenait la clé de leur avenir.

Daisy resta si longtemps dans la salle de bains que Belle se demanda si elle n'avait pas trouvé moyen de disparaître de nouveau. Elle se força à attendre dans la cuisine : elle savait que Daisy la mettait à l'épreuve.

Celle-ci revint enfin, les cheveux humides, et débarrassés de leur coloration violette.

— Est-ce qu'il habite ici ? demanda-t-elle.

— Ivo ?

— Ivo ! Quel prénom est-ce là ?

— C'est un diminutif d'Ivan. On lui a donné le prénom de son arrière-grand-père russe.

— Il a de la chance ! Nous n'avons même pas un père, à nous deux !

Puis Daisy ajouta :

— Il a dit qu'il était ton mari, mais il n'y a pas d'affaires d'homme dans la salle de bains.

— Il a dit cela ? Quand ?

— Le jour où je me suis trop approchée de ta voiture, il a joué au mari protecteur.

— Oh ! Oui, nous sommes mariés. Et séparés.

— Pas si séparés que cela. Il était là pendant le week-end pour t'aider dans tes travaux. Et il n'était pas rasé ce matin. Il a dû passer la nuit ici.

— A cause de toi. Nous sommes rentrés après minuit.

Et il était resté là à la soutenir. Ils avaient dormi ensemble. C'était la première fois que cela leur arrivait sans qu'ils aient fait l'amour. Sans être nus.

Comme un vrai couple.

— Et toi ? Vis-tu avec le père de ton bébé ?

— Non.

— Est-ce que tu l'aimes ?

— Oh, s'il te plaît !

— Tu as eu des rapports non protégés !

— Il n'y a pas d'autre moyen d'avoir un bébé.

— Tu voulais…

Oui, bien sûr. Quelqu'un qui l'aime sans réserve.

— Elle n'aurait pas dû te dire que j'étais enceinte. Ce genre de chose est confidentiel !

— Elle voulait que je sache pourquoi tu t'es évanouie. Et aussi s'assurer qu'une personne responsable était au courant. As-tu une place dans une clinique ? Prends-tu des vitamines ? As-tu subi un examen ?

— Qu'est-ce que c'est ? L'Inquisition ?

— Ton bébé a besoin d'être protégé.

— Comme si tu t'y connaissais en ce domaine ! C'est mon problème, d'accord ?

— Tu es enceinte depuis quand ?

— Je ne l'ai su qu'hier soir. Cela a commencé il y a six semaines, il doit me rester sept à huit mois. Et je n'ai pas fait exprès de m'évanouir, contrairement à ce que pense Ivan le Terrible.

— Il n'est pas si terrible. En fait, il t'a offert cinq mille livres. Pourquoi as-tu refusé ?

— Il voulait se débarrasser de moi.

— Plutôt te mettre à l'épreuve.

— Alors j'ai dû réussir l'examen.

— Tu n'as rien à me prouver, Daisy. Changeons de sujet. Nous pouvons t'inscrire dans une clinique. Aller aux cours de préparation ensemble, si tu veux.

— Je n'ai pas besoin de toi.

— Tout le monde a besoin de quelqu'un d'autre. Quelqu'un à qui l'on puisse dire : « appelle-moi ». Qui se soucie de ce que vous éprouvez.

Qu'est-ce qu'Ivo pouvait bien éprouver ?

Il fallait qu'elle pense à autre chose.

— As-tu un emploi ? Ou vas-tu à l'université ?

— Non.

Cet entretien ne menait à rien. Belle était payée des sommes astronomiques pour bavarder chaque matin avec des étrangers. Les faire rire, parler, poser des questions ouvertes. Mais au moins, c'étaient des gens sur qui elle s'était renseignée en préparant ses interviews. Elle savait d'avance la réponse à la plupart des questions qu'elle poserait. Cependant, il fallait quand même les faire parler.

Une règle d'or était de ne jamais poser de question à laquelle il soit possible de répondre simplement par oui ou par non.

Elle n'avait jamais imaginé qu'elle devrait appliquer la même règle à sa sœur.

Réfléchissant à ce qu'elle allait dire, elle s'assit et commença à manger son sandwich. Daisy avait déjà fini le sien.

— Merci pour le sandwich.

— Tu t'en vas ?

« Laisse-la partir. Elle reviendra. » C'était le

conseil qu'Ivo lui aurait donné. Mais c'était facile à dire, pour lui.

— Tu ne veux pas rester, pour rechercher ton père sur internet ?

— Tu me prends pour une idiote ? Tu crois que je n'ai pas essayé ?

— J'allais contacter une agence spécialisée dans la recherche de personnes disparues.

Daisy hésita un instant, visiblement tentée. Puis elle reprit la direction de la porte, en lançant :

— A quoi bon ? S'il voulait savoir, il me chercherait.

— Peut-être a-t-il peur, Daisy. Peut-être croit-il que tu ne veux pas renouer le contact. As-tu idée du courage qu'il faut, pour rechercher quelqu'un qu'on a laissé tomber ?

— Peut-être qu'il s'en fiche. Peut-être qu'il réagit juste comme un…

Elle s'interrompit, incapable d'articuler le mot.

— Dis-le, Daisy.

— Les bébés peuvent entendre ?

— C'est ce que l'on affirme.

— Tu n'as pas d'enfant ?

Belle secoua la tête.

— Les hommes ne font que prendre de la place inutilement.

— Pas tous, protesta Belle. Tu peux rester ici, Daisy. Il y a une chambre libre. Et toute l'eau chaude dont tu as besoin.

— J'ai déjà un endroit où rester.

— Qui soit correct pour un bébé ?

— J'ai connu pire quand j'étais petite.

— Alors tu devrais savoir qu'il ne faut pas infliger cela à ton enfant.

— J'étais heureuse alors, répondit-elle, avant de refermer la bouche, comme si elle en avait trop dit.

« Heureuse alors ? » Si elle considérait son enfance comme une période heureuse, quelles horreurs avait-elle dû connaître par la suite ?

Belle frissonna, mais parvint à contenir son émotion.

— Ma proposition est sérieuse. Tu peux venir n'importe quand. Si tu as besoin de quoi que ce soit…

— De la part de ma célèbre grande sœur, qui ne s'est pas inquiétée de moi pendant toutes ces années ? Quand je pense que je t'adorais ! Pas toi, mais Belle Davenport. C'était la grande sœur parfaite. Pourvue de toutes les qualités. Je la voyais chaque matin à la télévision, et je me disais que si ma sœur avait été comme elle, j'aurais été la fille la plus heureuse du monde. Je me suis bien trompée, non ?

— Ce n'était pas moi.

— Exact. Vous étiez fausses toutes les deux.

— Daisy, s'il te plaît…

— S'il te plaît quoi ? Quinze ans, et tout ce que j'ai reçu, ce sont trois lignes et une photo ! Qu'est-ce que j'étais censée faire, Bella ? — pardon, Belle ? Tomber à tes pieds avec gratitude, parce que tu as trouvé quelques instants dans ton emploi du temps surchargé pour te souvenir que tu avais une petite sœur ?

— Je ne t'ai jamais oubliée.

Elle s'arrêta. Comment pouvait-elle espérer que Daisy comprenne, alors qu'elle ne comprenait pas elle-même ?

— Ce n'est pas ta faute, Daisy… C'était la mienne. Je vais voir ce que je peux trouver sur ton père, pour pouvoir t'en dire plus la prochaine fois que tu m'appelleras…

— Qui te dit que je te rappellerai ?

Sur ces mots, Daisy ouvrit la porte et dévala l'escalier.

Belle se força à ne pas la poursuivre. Elle n'avait pas le droit de la suivre. Ou de chercher avec qui elle vivait. A quoi ressemblait sa vie.

Elle avait perdu ce droit en s'en allant, et à présent, elle devait regagner la confiance de Daisy en étant là pour l'aider. En ne la laissant plus jamais tomber.

Puis, prise d'une soudaine inspiration, elle alla à la fenêtre et cria :

— Daisy ! Je peux t'apprendre à conduire !

Sa sœur ne s'arrêta pas, ne leva pas les yeux, mais serra son manteau contre elle.

Ivo suivit discrètement cette scène, sans être vu des deux femmes. Il sourit en entendant la proposition de Belle. C'était intelligent, mais Daisy n'eut même pas le mince sourire de satisfaction auquel il se serait attendu.

Il attendit que Belle ait refermé la fenêtre et suivit Daisy.

Belle se connecta sur le site de l'une de ces agences de recherche des personnes disparues. Mais le formulaire était trop impersonnel. Elle aurait eu besoin de parler à un interlocuteur en chair et en os.

Tout le monde a besoin de quelqu'un…

« Appelle-moi… »

Non. C'était fini. Ce n'était pas qu'il refuserait de l'aider, ni que son aide serait inutile. Il était bien plus fort que n'importe quelle administration bureaucratique. Il savait comment faire pour obtenir des résultats. Mais le prix à payer serait trop élevé. Etre avec lui était trop pénible. Elle avait joué le rôle qui lui était assigné pendant trois ans, cachant ses sentiments, parce qu'il avait clairement expliqué, dès le début, quelle maîtrise de soi il exigeait, chez lui comme chez les autres.

Elle avait cru, pendant quelques jours, que cela n'aurait pas d'importance. Jusqu'à ce qu'elle baisse sa garde et dévoile ses rêves d'avoir des enfants, de fonder une famille, alors qu'il était à moitié endormi.

Le lendemain, il l'avait laissée finir leur lune de miel toute seule, parce que ses affaires exigeaient sa présence. Il lui avait montré la place qu'il lui accorderait dans sa vie.

Pourtant, pendant ces trois années, elle l'avait aimé comme elle n'aimerait sans doute personne d'autre, mais il n'était pas question de revenir à ce qu'elle avait connu pendant ce temps.

Et elle devait s'occuper de Daisy.

Elle nota le numéro de téléphone de l'agence, l'appela, et parla à un conseiller qui nota tous les détails qu'elle lui donna, et promit de la rappeler au plus tard le lendemain soir, même si c'était pour lui dire qu'il n'avait rien de plus.

Puis elle composa un message électronique pour Claire et Simone, dans lequel elle put s'épancher. Cela lui fit du bien, mais elle savait que ses deux amies ne pourraient lui offrir que leur sympathie, ce qui ne l'avancerait guère.

En fait, songea-t-elle, ce qu'il lui fallait c'était de faire preuve de détachement, comme Ivo. D'avoir un peu de sa capacité à dominer les réactions émotives…

Encore que, ces derniers temps, son comportement n'avait pas été celui auquel Belle s'était attendue.

Elle avait été étonnée de le voir venir en personne l'aider à refaire son appartement. Elle se serait plutôt attendue à ce qu'il appelle un professionnel pour le faire. Ou plus exactement, qu'il demande à Miranda d'appeler un professionnel.

Et ses rendez-vous annulés ? De quoi s'agissait-il ?

« Appelle-moi si tu as besoin de quoi que ce soit… »

Elle prit le téléphone, appela sa compagnie d'assurance et fit ajouter Daisy à la liste des gens autorisés à conduire sa voiture.

Puis elle se mit à répondre aux divers messages, en restant pratique et efficace. Ivo aurait été fière d'elle.

Sauf que son baiser avait été plein d'émotion. Il voulait dire « je me préoccupe de toi. » Elle aurait presque pu croire qu'il signifiait « je t'aime. »

156

S'il était venu de quelqu'un d'autre.

Elle se remit à penser rationnellement. Il était sans doute préférable de le prévenir, à propos du journal perdu par Simone. Ils ne pouvaient rien y changer, mais au moins il serait prêt à affronter ce qui s'en suivrait, les coups de téléphone incessants, les paparazzi devant la porte. Encore qu'elle n'enviait pas ceux qui tenteraient de s'en prendre à Miranda.

Toutefois, il fallait d'abord qu'elle appelle Jace et ses conseillers en communication, pour préparer une déclaration…

Il y avait encore autre chose à faire. Elle décida qu'Ivo avait assez couru derrière elle, et qu'il était temps qu'elle passe elle-même chercher ses affaires dans la grande demeure de Belgravia.

Sur le chemin, elle pourrait d'abord passer au garage, prendre de l'essence ainsi qu'une étiquette d'apprenti-conducteur à poser sur son véhicule.

Ce fut seulement au moment de payer qu'elle découvrit que son sac à main avait été ouvert par des mains peu scrupuleuses — mais rapides et efficaces. Tout son argent, toutes ses cartes de crédit avaient disparu.

« Appelle-moi… »

Cette fois, elle n'avait plus le choix.

— Je suis désolée, Ivo. Vraiment désolée.

Il était venu à son secours au garage, avait payé ses achats avant de la suivre dans son appartement. Il était maintenant assis sur son lit, attendant que le centre d'appel réponde au téléphone, pendant que Belle faisait le compte de ce qui avait été volé.

Les seuls bijoux qu'elle avait dans l'appartement étaient le collier et les boucles d'oreilles qu'elle avait portés à la cérémonie télévisée, et qui n'étaient précieux que parce que c'était Ivo qui les lui avait donnés.

Elle les avait laissés la veille sur sa coiffeuse, sans se donner la peine de les ranger.

Son alliance devait avoir échappé au cambriolage. Elle ouvrit le petit coffre derrière le miroir…

— Belle ?

Elle secoua la tête. C'était trop affreux. Elle ne pouvait le lui dire…

— J'aurais dû laisser tes cartes de crédit chez toi. Si j'avais été mieux organisée…

— Je suis heureux que tu les aies prises.

— Heureux ?

— Tu ne m'aurais pas appelé si elle n'avait pris que ce qui t'appartenait, non ?

— C'est ma sœur.

158

Devant le visage impassible d'Ivo, elle ajouta :

— Il y a des choses qu'elle m'a dites que personne d'autre…

Elle fut incapable d'en dire plus.

— Ne t'en fais pas. Nous allons récupérer ce qu'elle t'a volé. Mais je dois faire cela d'abord. Un appel…

— Tu ne vas pas appeler la police ? S'il te plaît, Ivo !

Le centre d'appel répondit au même moment, et elle dut attendre pendant qu'il donnait les détails des cartes volées.

— C'est bon. Nous recevrons les nouvelles cartes sous quarante-huit heures.

— Je ne veux pas de nouvelles cartes ! Promets-moi que tu ne vas pas appeler la police !

— Pas cette fois-ci.

Belle sentit bien qu'elle ne pouvait exiger davantage.

— Merci. Mais comment…

— Tu as le rôle du personnage bon et gentil, et moi celui du cynique. Quand je suis parti ce matin, je ne suis pas allé loin. J'ai attendu que ta sœur sorte et je l'ai suivie jusqu'au squat où elle habite.

— Mais c'est…

— Scandaleux ? Une violation de la vie privée ?

— Non. Tu as eu raison.

— Je ne l'ai pas fait parce que je savais qu'elle te cambriolerait, Belle. Je voulais juste que tu puisses la retrouver, au cas où elle ne reviendrait pas.

— Oh... Merci.

— A moins qu'elle ne soit une voleuse expérimentée, elle aura encore sur elle tout ce qu'elle t'a pris.

— Je ne peux pas croire...

— Pour être honnête, moi non plus. Je soupçonne que c'est bien plus compliqué que cela.

— Je ne suis pas sûre de savoir faire face à une telle situation.

— Tu sauras faire face à n'importe quoi, si tu le veux. Tu n'abandonnes jamais quand tu as décidé quelque chose.

— Peux-tu me faire confiance ?

— Tu n'as pas besoin de moi, Belle. Il suffit que je te dise où Daisy est allée.

Le squat était dans un immeuble datant du début du XXe siècle, dont les portes et les fenêtres étaient barricadées, attendant, comme les bâtiments voisins, qu'un programme de réhabilitation soit enfin lancé.

Ivo passa en premier, trouva quelle planche était disjointe sur la porte de derrière, et ouvrit.

— Tu devrais peut-être rester ici. Qui sait ce que nous allons trouver ?

— Il faut que je retrouve Daisy. Beurk ! Cette odeur est horrible !

— C'est la moisissure. Fais attention où tu marches, le plancher est dans un triste état.

— Elle ne peut pas rester ici, Ivo !

— Tu te rends bien compte que si c'est ce qu'elle veut, nous n'avons pas le pouvoir de l'en empêcher ? Si nous la forçons à partir contre son gré, elle trouvera simplement un autre squat, et nous ne saurons même plus où elle est.

— Tu m'as dit qu'elle reviendrait.

— Plus maintenant. Plus après t'avoir cambriolée.

— Il faut faire quelque chose. Elle est enceinte !

— C'est elle qui te l'a dit ? J'ai plutôt l'impression qu'elle est… anorexique. Je sais ce que c'est.

Comme Belle le fixait avec des yeux interrogateurs, il ajouta :

— Je l'ai vu avec Miranda.

— Oh…

Il y a des secrets de famille qui ne se confient pas aisément…

— A l'hôpital, l'infirmière m'a dit que Daisy était enceinte, expliqua Belle. C'est pour cela qu'elle s'est évanouie. Elle a besoin d'être dans un endroit sûr. D'être avec moi.

— Tu lui as proposé de rester chez toi ?

— Bien sûr ! Et il faut que je la persuade de revenir avec moi ! Il peut lui arriver n'importe quoi, ici !

— Ne t'en fais pas. Je vais lui présenter une invitation qu'elle ne saura pas refuser.

— Pas avec de l'argent ?

— Fais-moi confiance. Je ne vais pas répéter deux fois la même erreur… Viens.

Ils se frayèrent un chemin sur le sol jonché d'ordures, suivant des traces de pas qui les menèrent au premier étage.

Daisy avait élu domicile dans l'une des chambres, où elle s'était installée avec des vieux meubles et des pièces de moquette.

Il n'y avait pas d'électricité, mais un peu de lumière filtrait à travers la crasse de la fenêtre. Assez pour la distinguer, assise sur le sol, entourée des cartes de crédit, d'argent, des bijoux volés à Belle.

Y compris l'alliance qu'il avait mise à son doigt.

Elle n'avait pas dit à Ivo que Daisy l'avait prise, mais il savait exactement à quel moment elle s'en était aperçue.

Se détachant de lui, Belle alla vers Daisy.

— Reviens ! Reviens avec moi !

— Va-t'en ! Je n'ai pas besoin de toi !

— S'il te plaît, Daisy ! Laisse-moi t'aider. Pour ton bébé !

— Je n'ai pas besoin de toi ! Va-t'en !

Malgré l'obstination dont elle faisait preuve, Ivo percevait le besoin désespéré qui se cachait derrière cette attitude de rejet. En volant sa sœur, Daisy se plaçait là où l'amour de Belle ne pouvait plus l'atteindre. En organisant le rejet, elle gardait le contrôle de la situation. Il avait vu Miranda dans la même attitude d'autodestruction.

— C'est votre choix, Daisy. Vous partez avec Belle, ou avec la police.

Belle comprit aussitôt ce qu'Ivo faisait.

— Je suis désolée, Daisy, ajouta-t-elle. Tu n'as pas seulement pris des biens qui m'appartenaient, mais aussi des cartes de crédit d'Ivo.

— Je ne les ai pas utilisées ! protesta Daisy.

— Rentrez maintenant avec Belle, et je vous pardonnerai.

Daisy se leva et se dirigea vers la porte, mais s'arrêta en voyant qu'on ne la suivait pas.

— Vous n'avez rien oublié ? demanda Ivo, en montrant le butin du vol, étalé par terre.

— Il y avait une alliance ! s'exclama Daisy.

Elle se mit à chercher, sans la trouver.

— Je l'ai, dit finalement Ivo, en ouvrant la main.

Il la passa au doigt de Belle, en remarquant :

— Il vaudrait mieux qu'elle reste là.

— Je ne la perdrai plus, promit Belle avant d'ajouter : Daisy et moi allons rentrer à pied, en passant par le marché.

— Tu es sûre ?

— Tout à fait. Je te remercie, Ivo. Appelle-moi.

9.

— Où est-elle, aujourd'hui ?

L'arrivée du serveur évita à Belle de devoir répondre tout de suite.

— Daisy, insista Ivo.

— Je ne sais pas, admit-elle finalement. Ne me regarde pas comme cela. Elle était partie quand je suis rentrée du studio ce matin.

— Elle te punit de faire passer ton travail en premier ?

— Elle sait que cela ne dure que jusqu'à la fin de la semaine.

— Pas comme…

Il s'arrêta avant de dire : comme un mariage.

— Elle n'a pas laissé un mot ?

— Elle est adulte. Elle n'a pas à justifier de son emploi du temps. Je n'ai pas d'autre choix que de lui faire confiance.

— Je sais.

Ivo avait téléphoné chaque jour à Belle, demandant comment les choses se passaient, essayant de la soutenir, de l'aider psychologiquement, mais en offrant des conseils seulement quand elle les demandait.

Mais en réalité, Belle était morte d'inquiétude de voir Daisy partie. Elle avait ressenti un grand soulagement quand Ivo l'avait invitée à déjeuner dans ce restaurant italien.

— Qu'as-tu donc appris ?

— Apparemment, la famille qui l'avait recueillie s'est éparpillée quelques années après. Daisy a été placée de famille en famille, et les choses se sont toujours mal passées pour elle. Ensuite elle a été mise dans un centre de réadaptation, où elle a connu le garçon dont elle est enceinte.

— Il est encore présent dans sa vie ?

— Non. Daisy voulait juste un bébé.

— Il a le droit de savoir.

— Une chose à la fois, Ivo.

— Oui. Excuse-moi. Je ne voulais pas critiquer. Tu t'en sors plutôt bien.

— Je fais de mon mieux. Elle a des hauts et des bas. Impossible par moments, adorable à d'autres.

— Peut-être cela vient-il de ses hormones ?

— Non, le médecin a dit qu'elle allait bien. Et elle a bon appétit.

166

— Alors qu'est-ce qui te tracasse ? Il y a quelque chose.

— Qui ne peut pas être solutionné par un nouveau manteau ou des vitamines. Je crois qu'elle déteste seulement que tout soit à sens unique. Elle a l'impression qu'on s'occupe d'elle par charité. Je ne peux lui faire comprendre tout ce que cela signifie pour moi.

— Elle a peur que tu te désintéresses d'elle. Que tu l'abandonnes, comme beaucoup d'autres l'ont fait dans sa vie.

— Mais c'est…

Elle allait dire « ridicule », mais comprit que cela ne l'était pas. Ivo devinait bien ce que Daisy éprouvait. Belle pensa qu'elle ne savait vraiment rien de la vie qu'il avait eue avant leur rencontre, et de ce qu'il avait pu en apprendre. Elle en ignorait à peu près tout, en dehors de la mort de ses parents, survenue au moment où il avait obtenu sa maîtrise.

— On pourrait croire que tu as étudié la psychologie en fac, et non l'économie. Comment fais-tu pour la comprendre mieux que moi ?

— Tu ne t'en sors pas si mal.

Il continua en abordant un autre sujet.

— Peut-être a-t-elle besoin d'un travail. Quelque chose qui soit bien à elle.

— Cela lui fera croire que je vais de nouveau la

laisser se débrouiller seule. Surtout si elle sait que l'idée vient de toi.

— Elle me perçoit comme une menace ?

— Elle est si fragile, Ivo.

— Peut-être vaudrait-il mieux laisser Miranda le lui proposer ?

— Miranda !

— Fais-moi confiance. Elle sait ce qu'elle fait. En dépit de ce qu'elle t'a fait subir, je dirais même que tu as une nouvelle fan.

— Là, tu m'inquiètes sérieusement. Que lui as-tu dit exactement, Ivo ?

— Juste assez pour qu'elle soit prête quand les paparazzi viendront nous assiéger. Pas de nouvelles de ton amie australienne ?

— Non. L'attente est pénible.

— Prends les choses avec détachement.

— C'est plus facile à dire qu'à faire. J'aimerais savoir me contrôler comme toi. Et aussi lire les émotions de Daisy aussi bien que toi.

— J'ai une sœur.

— Vraiment ?

Belle ne pouvait imaginer Miranda en adolescente rebelle.

— J'essaie de rappeler à Daisy les meilleurs

moments, poursuivit Belle, quand nous formions une famille unie.

— Tu en veux à ta mère ?

— Ce n'est pas elle la responsable. Le père de Daisy était joueur. Il a accumulé des dettes colossales, hypothéqué la maison de ma mère auprès de trois sociétés différentes, emprunté de l'argent à des usuriers. Finalement, il a disparu. Maman n'avait jamais vu les lettres des banques ou des créanciers. Il devait les intercepter. Elle n'a compris que les choses allaient vraiment mal que lorsqu'elle a vu venir les huissiers.

— Le père de Daisy aurait pu aller en prison.

— Il aurait d'abord fallu l'attraper. Puis prouver ce qu'il avait fait. Mais peu importe. Les usuriers ont envoyé une paire de loubards, qui ont mis le couteau sous la gorge de Daisy pour forcer ma mère à leur donner les allocations. Ils ont laissé des instructions pour que cela recommence chaque mois.

— Pourquoi n'est-elle pas allée voir la police ?

— Ils avaient décrit ce qu'ils feraient à Daisy, au cas où il lui prendrait la fantaisie d'aller voir la police. Maman nous a fait emballer le strict minimum, et nous avons fui.

— Pendant quatre ans ? Vous avez vécu ainsi pendant quatre ans ?

— Quelque chose s'est brisé en elle, Ivo. Elle croyait qu'elle avait mangé son pain noir avec mon père. Il buvait, il la battait, puis il est tombé un soir dans le canal — peut-être quelqu'un l'y a aidé — et il s'est noyé. Le père de Daisy était un gentleman, mais en apparence seulement. Ma mère était folle de lui. Il lui a dit qu'il partait quelques jours en voyage d'affaires, et, pendant qu'elle lui repassait ses chemises, il volait dans son sac à main. Lorsque ma mère a découvert la vérité, elle n'a plus été capable de remonter la pente.

— Et c'est cet homme que Daisy veut retrouver ?

— C'est un amour inconditionnel. Les mauvais parents le reçoivent aussi souvent que les bons.

— Pas toujours. Pas si vous n'avez jamais su ce qu'est l'amour.

Ivo était conscient que les malheurs de sa propre enfance étaient sans commune mesure avec ceux qu'avait connus Belle. Mais elle venait de faire preuve d'une grande franchise à son égard ; elle méritait la vérité.

— Mes parents à moi ne s'aimaient pas entre eux, et ils n'avaient aucun amour pour nous.

— Mais… Je croyais… que vous aviez tout eu.

Les vacances merveilleuses en France, en Italie. Je t'ai entendu en parler avec Miranda.

— Nous as-tu déjà entendu parler de nos parents ?

— Eh bien… A vrai dire, non.

— Nous les avons à peine connus. Nous étions une gêne pour eux. Ils nous faisaient soigner par des nounous, puis ils nous ont envoyés en pension dès que nous avons eu l'âge requis. Ils reproduisaient ce qu'ils avaient eux-mêmes subi. Nos grands-parents n'étaient pas différents. Plutôt pires.

— Et ces étés en France et en Italie ?

— Chaque été, nous étions envoyés dans une famille d'accueil, pendant que nos parents s'occupaient de leurs affaires. C'est ainsi que nous avons grandi. Au moment où nous arrivions à l'âge adulte, celui auquel ils auraient pu commencer à s'intéresser à nous, ils se sont noyés. Je n'ai jamais compris ce qu'ils faisaient tous deux sur le même yacht.

— J'ignorais tout cela.

— Nous avons tous deux des souvenirs dont nous ne voulons pas parler.

— Mais quand même, vous avez eu les vacances…

— Certaines des familles étaient merveilleuses. C'est cela dont nous préférons nous rappeler.

— Tu as détesté tout le reste ?

— Le mot est un peu faible.

Elle se serra contre lui. Il s'était donné tant de mal pour ne pas admettre des sentiments qu'il avait préféré tuer en lui depuis longtemps. Pour se protéger. Il n'avait jamais permis qu'ils connaissent une intimité psychologique, et pas seulement physique, parce qu'il savait qu'un jour, elle se lasserait d'attendre ce qu'il ne pouvait pas donner.

Lui-même. Un enfant…

Et d'un seul coup, tout l'édifice venait de s'écrouler…

— Rentrons chez nous, Ivo.

— Je ne peux pas.

Il pouvait à peine croire qu'il venait de prononcer ces mots. Il ne désirait rien de plus que d'avoir Belle dans ses bras. Mais il ne pouvait pas lui faire cela. Pas une deuxième fois. Il avait cru qu'il l'aimait trop pour la laisser partir. A présent, il comprenait la différence entre le besoin et l'amour. Il avait vu l'amour véritable à l'œuvre. Celui qui pousse au don, au sacrifice, à la recherche de ce qui est le meilleur pour l'être aimé.

— Je ne peux pas le faire, répéta-t-il. Je l'ai cru. J'ai pensé que c'était ce voyage dans l'Himalaya qui t'avait changée, qui t'avait lassée de ce que tu faisais.

172

J'ai cru qu'il suffisait que je sois là ; que je te montre quelque chose qui attire ton attention…

— Ivo…

— Non. Ne m'arrête pas. Il faut que je te dise la vérité. J'ai cru que si tu trouvais quelque chose de nouveau pour remplir le vide dans ta vie, alors tu pourrais oublier, et un moment viendrait où tu reprendrais ta place dans ma vie, et tout redeviendrait normal.

— Que je pourrais oublier quoi, Ivo ?

— Que tu as conclu un marché qui n'était pas fait pour toi. Que la sécurité sans amour, sans famille, sans… sans enfants, ne t'aurait jamais suffi. Je te voulais tellement… J'avais besoin de toi. Au-delà de toute raison. Peut-être que, si j'avais su, compris que tu voulais plus, qu'il te fallait plus, j'aurais trouvé la force de renoncer à toi. Je t'ai crue quand tu disais que tu voulais seulement la sécurité, sans liens affectifs encombrants. Ou peut-être que je refusais tout simplement de voir la vérité.

— Quelle vérité ? Explique-moi, Ivo.

— Pendant les quelques jours que nous avons passés ensemble après le mariage, tu as commencé à parler de l'avenir. D'avoir des enfants. Je ne peux pas, Belle. Je ne serai jamais le mari dont tu as besoin et que tu mérites. Je sais et j'ai toujours su que je ne pourrai jamais te donner d'enfant.

— Est-ce que… est-ce pour cela que nous sommes rentrés de notre lune de miel plus tôt que prévu ?

Il hocha la tête.

— J'aurais dû te le dire.

— Oui. Et il y a d'autres choses que nous aurions dû nous confier. Mais si je t'avais épousé pour avoir des enfants, je ne serais pas restée après avoir vu… Je n'aurais pas pu rester après que tu m'eus laissée seule, sous prétexte de devoir régler un problème imprévu en affaires.

— Comment l'as-tu appris ?

— Que c'était un mensonge ? Tu n'avais pas besoin de dire un mot, Ivo. Tu sais cacher tes sentiments, mais ce jour-là, j'ai lu en toi comme dans un livre. Je savais que tu ne m'aimais pas, que je ne serais jamais rien d'autre qu'une épouse temporaire, mais quand nous nous sommes retrouvés seuls, après le mariage, j'ai cru pouvoir rêver d'un conte de fées. J'ai fait l'erreur de le partager avec toi. Ton visage m'a tout de suite fait comprendre…

— Pourquoi n'es-tu pas partie, à ce moment-là ?

— J'avais peur. Peur de te perdre.

— Alors pourquoi t'en aller à présent ?

— Je me suis reproché de m'être accrochée à un espoir qui n'était pas raisonnable. Qu'un jour, tu te réveillerais, et… que tu me verrais. Que tu serais

174

l'homme que j'ai cru apercevoir pendant notre lune de miel. Détendu, heureux.

— Je n'ai jamais été aussi heureux que durant ces jours-là.

— Pourquoi ne me l'as-tu jamais dit ?

— Tu n'étais pas la seule à avoir peur. Tu étais la plus belle femme que j'aie jamais rencontrée. Je ne parle pas seulement de ton physique, même si c'est vrai aussi dans ce domaine. C'était ta chaleur, ta vitalité, ton sourire. J'ai toujours su que tu ne resterais pas.

— Tu sembles avoir surestimé mes qualités psychologiques.

— Non. Sinon, je n'aurais pas eu de tels sentiments.

— Je ne t'ai pas quitté parce que tu ne voulais pas d'enfant, Ivo. Je suis partie parce que je ne pouvais plus supporter ta froideur. La distance. Je ne pouvais plus faire face à la perspective de me réveiller seule un matin de plus.

Puis, tout à coup, tout lui devint clair.

— C'est ce que tu as fait, toi aussi ?

Il ne lui demanda pas ce qu'elle voulait dire. Durant la semaine écoulée, il lui avait parlé de Daisy. Et de Miranda.

Poussée par un besoin désespéré d'amour, celle-ci s'était lancée dans des relations désastreuses. Elle s'était investie à fond dans chacune d'entre elles, pour être rejetée chaque fois. Finalement, elle avait sombré dans l'anorexie. Se rejetant elle-même.

Il savait que Daisy avait volé l'argent de Belle pour les mêmes raisons. Anticipant le rejet, elle l'avait provoqué.

Il avait connu cela. Lui aussi avait dû combattre ses propres démons.

— Tu attendais que je te rejette, reprit Belle lentement. Tu te protégeais des blessures.

— Cela n'a pas marché.

— Tu me maintenais à une telle distance, Ivo…

— Je parle des blessures.

Vivre seul lui en avait apporté plus qu'il n'aurait imaginé.

— Je t'ai trompée, poursuivit-il. Je t'ai menti. Tu avais le droit de me quitter. Tu méritais mieux.

— La vie ne nous donne pas ce que nous méritons, Ivo. Sinon, il n'y aurait plus d'enfants abandonnés, de femmes terrifiées, d'hommes pour qui la paternité est un rêve inassouvi.

— Laisse-moi en dehors de ta liste d'êtres meurtris par le destin.

— Pourquoi ? Toi aussi, tu as souffert. As-tu été malade pendant ton enfance ? Comment sais-tu que tu ne peux pas avoir d'enfant ?

176

— Je le sais. Il y a dix ans, je me suis fait faire une vasectomie.

Une vasectomie.

Le mot remplit la tête de Belle comme s'il allait la faire exploser.

Elle regarda la nourriture servie devant eux. Des petites aubergines grillées, des olives, des tomates gorgées de soleil, des tranches de viande fines comme du papier. Aucun des deux n'y avait touché.

En un geste désespéré, elle se leva et sortit du restaurant, courant droit devant elle.

Mue par le simple désespoir.

Au bout d'un moment, elle s'assit sur un banc, le visage contre les genoux.

Quand Ivo émergea à ses côtés, quelques secondes plus tard, aucun des deux n'ajouta un mot.

Le pire était qu'elle n'avait pas besoin de demander pourquoi il l'avait fait. Elle savait. Et comprenait. Les fautes du père. Ses grands-parents, ses parents, la peur de subir le déterminisme génétique — de devenir un autre père froid et distant, qui rendrait malheureux ses enfants.

Ivo prit place à côté d'elle.

— A l'époque, cela semblait si logique… Je croyais être au bord de la dépression nerveuse. Miranda en vivait déjà une. J'ai juste signé les papiers, pour qu'on la garde à l'hôpital, pour la protéger d'elle-même…

— Tu n'as pas besoin d'expliquer. Je comprends.

— Je me suis renseigné pour faire pratiquer l'opération inverse, une vasovasostomie. Lorsque je me suis rendu compte de ce que je t'avais fait.

— Tu aurais fait cela pour moi ?

— Je… oui, j'aurais fait n'importe quoi pour toi.

— Sauf prononcer les mots.

— Je ne savais pas comment faire.

— Les mots ne sont qu'une manière de montrer son amour, Ivo. Et même pas la plus importante.

— Je croyais pouvoir me justifier à mes yeux, de t'avoir épousée sans rien te dire, parce que…

Il s'interrompit.

— Parce que je t'avais assuré que je ne me mariais que pour la sécurité, compléta Belle.

— L'argent et les relations physiques. J'ai cru que nous avions tous les deux ce que nous voulions. Et puis, tu t'es mise à parler d'enfants. Et alors j'ai su…

Elle serra son bras pour lui demander de s'arrêter.

— J'ai su que c'était aussi ce que je désirais, continua-t-il. J'avais juste trop peur de l'admettre, envers toi comme envers moi-même. J'ai pensé que je pouvais arranger tout cela. Que nous pourrions

178

ensuite reprendre les choses là où nous les avions laissées. Mais tu n'as pas attendu.

— Ne te fais pas de reproches…

— En réalisant ce que je t'avais fait, j'ai pris conscience que je devais rentrer à Londres, voir le médecin qui avait effectué la vasectomie. Implorer un miracle.

— Je suis désolée.

— Je ne peux pas dire qu'on ne m'ait pas averti. Le chirurgien n'était pas très chaud pour le faire. Il m'a demandé de me faire conseiller. Il n'a cédé que lorsque je lui ai fait comprendre que s'il n'acceptait pas, je trouverais quelqu'un d'autre.

Il fit une pause.

— Quand j'ai cru que Daisy était ta fille, que tu étais mère, cela a semblé être un cadeau providentiel. Le miracle que j'attendais.

— Une adolescente difficile ? Ce n'est pas ce que j'appelle un miracle.

— Elle aurait été notre adolescente difficile.

— Ce n'est pas ma fille, Ivo, mais elle a quand même besoin de nous. Pas seulement de moi, mais aussi de toi. Il lui faut un homme convenable dans sa vie. Et il y a son bébé. Dans sept mois, il sera là : il lui faudra une tante et un oncle pour le gâter.

— Ne cache pas tes sentiments, Belle. J'ai vu

ton visage quand tu m'as dit que Daisy attendait un enfant.

— Tu crois que je suis jalouse de ma sœur ? Moi ? Alors que j'ai eu tant de chance dans ma vie !

— Ce n'est pas une question de chance. Tu as réussi grâce à la chaleur humaine que tu dégages, Belle. Elle était déjà perceptible dès le moment où ton visage est apparu à la caméra, le jour du téléthon. Il a suffi que tu dises « Appelez-moi » de ta voix langoureuse et la moitié du pays s'est ruée sur le téléphone.

— C'est l'érotisme qui se vend bien. L'effet n'aurait pas été le même si j'avais ouvert un bouton en moins.

— Tu crois vraiment que la chaîne est prête à payer n'importe quel prix pour te garder, simplement à cause de ta poitrine ? Même si elle est ravissante.

— Non. Ils m'offrent tout cet argent parce que c'est plus facile et moins coûteux que de me trouver une remplaçante. C'est toujours délicat de lancer quelqu'un d'autre. Tu n'imagines pas le travail que cela représente pour les conseillers en image.

— Quelle que soit la raison de ton succès, tu ne le dois pas aux gens qui t'entourent. Ils n'ont fait que polir un diamant très rare.

— Oh, s'il te plaît ! s'écria Belle en rougissant. Il faut que je rentre. Daisy va se demander où je suis.

180

— Tu es adulte, Belle. Daisy doit apprendre à te faire confiance, lorsque tu sors avec quelqu'un.

En l'espace d'un instant, le ton de la conversation changea. Les yeux d'Ivo étaient remplis d'une douceur qu'il ne montrait qu'à Belle. Cela ne manquait jamais de provoquer un frémissement au plus profond d'elle-même.

— Nous sortons en amoureux ?

— Nous sommes assis côte à côte, la main dans la main. La dernière fois que cela nous est arrivé…

— Tu te souviens ?

Ils s'étaient simplement présentés. « Ivo Grenville », « Belle Davenport ». Et ce fut tout. Il était milliardaire, elle était une star de la télévision, aucune explication supplémentaire n'était nécessaire.

— Je me souviens, dit-elle, la voix pleine de regret en pensant à ces années perdues. Te rappelles-tu la suite ?

Oui, il s'en souvenait. Ses yeux qui l'invitaient à sortir du vide affectif dans lequel il s'était emprisonné. Elle attendait, comme à présent, qu'il ait le courage de se libérer.

— T'ai-je dit combien j'aime ta nouvelle coiffure ?

Elle ne répondit pas, comme s'il se parlait à lui-même.

— Regarde-moi, dit-il.

Lorsqu'elle leva la tête, il l'embrassa. Cela lui dit tout ce qu'il ne pouvait exprimer par des mots. Comme s'il parlait à haute voix.

— Tu te souviens ?

— Comment pourrais-je jamais oublier ?

— Tu m'as ramenée chez moi, poursuivit-elle. Et tu es resté, jusqu'à ce que mon réveil te tire du sommeil à 4 heures du matin.

— Je m'en souviens. Ce n'est pas parce que…

— Je sais. Je comprends maintenant pourquoi tu as voulu des chambres séparées. Pourquoi tu as quitté mon lit.

— Parce que ce baiser était un mensonge. Si je t'avais aimée, je serais parti à ce moment-là.

Au lieu de faire cela, il l'avait trompée. Il s'était aussi menti à lui-même. En s'imaginant qu'il ne prenait que le minimum.

Il s'était protégé lui-même, à partir du moment où elle avait vu leur mariage tel qu'il était vraiment — une simple convention vide de sens. Ensuite, une fois qu'elle avait réalisé cela, et qu'elle avait fui devant sa froideur, il avait découvert qu'il ne pouvait pas se protéger : il était amoureux de Belle Davenport.

— Ne sois pas trop dur avec toi, Ivo.

Ils se mirent en route vers l'appartement de Belle.

182

Lorsqu'ils arrivèrent à la porte d'entrée, elle lui donna les clés et il ouvrit. Il s'arrêta sur le seuil, mais elle monta l'escalier, ne lui laissant pas d'autre choix que de la suivre.

Il la rejoignit dans l'appartement.

— Pas de message. Daisy n'est pas rentrée.

— Belle…

Il la désirait comme il était sûr, à ce moment précis, qu'elle éprouvait le même sentiment, mais ce qu'ils ressentaient était un simple besoin de réconfort. Rien ne serait différent ensuite.

— Je ne peux pas, dit-il. Ce serait une mauvaise idée.

— Viens t'allonger simplement avec moi, Ivo. Pour me tenir. S'il te plaît. Je suis fatiguée. J'aurai du mal à dormir. Mais si tu me tiens, juste un petit peu…

C'était au-dessus de ses forces de refuser. Il enleva le manteau de Belle, l'accrocha à côté du sien, puis lui prit la main et l'emmena vers la chambre où il défit un à un, lentement, tous ses vêtements. Lorsqu'elle fut nue, il tira la couette pour la recouvrir. Puis il commença à se déshabiller.

C'était totalement nouveau.

Pour la première fois depuis trois ans, il allait partager le lit de sa femme sans lui faire l'amour.

Ou peut-être allait-il le faire quand même. Il l'enlaça et l'attira doucement vers lui, l'embrassant sur l'épaule, lui chuchotant des mots d'amour qu'il n'avait pas l'habitude de prononcer, des mots dont il n'avait, jusqu'alors, pas ressenti le besoin dans sa vie.

C'était l'amour, la douceur, le partage qu'il avait fuis pendant toute sa vie d'adulte. Il respira profondément, le parfum de Belle, les senteurs de rose, mêlées à quelque chose de plus musqué qui attisait les passions.

Ce n'était plus pareil qu'avant. Il rendait ce qu'il avait pris.

Et cela satisfaisait un désir tout différent, qui transcendait la dimension purement physique : cette intimité le comblait, l'emplissait de plénitude. Il ferma les yeux.

10.

Belle se réveilla, se retourna et découvrit qu'elle était encore dans les bras d'Ivo. Elle s'était endormie, ce qui n'était pas surprenant : elle s'était levée comme chaque matin, à 4 heures, pour aller au studio.

Mais ce n'était pas ces quelques heures de sommeil qui lui donnaient l'impression d'être devenue une personne totalement nouvelle : c'était la présence d'Ivo à ses côtés.

Elle s'était endormie, et il ne l'avait pas quittée.

Comme elle sentait qu'il s'agissait là d'un commencement, non d'une fin, elle tendit la main vers la poitrine d'Ivo.

— Belle…

Elle ignora l'avertissement. Il croyait qu'elle voulait plus qu'il ne pouvait donner et, à cause de cela, l'avait maintenue à distance.

Il se trompait.

A présent qu'elle savait, tout un monde nouveau de

possibilités s'ouvrait devant eux. Devant elle. Il y avait d'innombrables enfants dont elle pouvait transformer la vie, avec son temps, son amour, son argent. Mais il n'y avait qu'un seul homme. Qui était là, à sa merci. Elle fit ce que toute femme aurait fait à sa place, et utilisa sa bouche pour vaincre toute résistance.

Il était capable d'une endurance farouche, mais son corps le trahit, en venant à la rencontre de celui de Belle.

Ivo découvrait l'irrésistible pouvoir de séduction de sa femme.

Lorsqu'ils eurent fait l'amour, elle se mit à pleurer. Il l'enlaça et l'attira près de lui.

— Tu ne t'attendais pas à cela lorsque tu es resté la première fois…

— Je suis prêt à recommencer autant que tu voudras. Ou tu pourrais revenir à la maison.

— Je ne peux pas. Il m'est impossible de retourner là-bas…

Puis :

— Tu n'as pas entendu quelque chose ?

Il y eut le fracas d'un objet qui tombait, puis la porte d'entrée claqua et l'on entendit une personne dévaler l'escalier. Belle se leva, mit un peignoir et alla ouvrir la porte.

— Oh…

186

On aurait cru qu'un coup de poing au ventre la laissait sans voix. Ivo la suivit, et s'arrêta brusquement devant la porte de la troisième chambre, que Belle utilisait comme garde-robe.

La robe qu'elle avait portée lors de la cérémonie télévisée était réduite en charpie.

C'était Daisy.

Combien de temps lui avait-il fallu pour faire cela ? Depuis combien de temps était-elle rentrée, à écouter les bruits de ces deux personnes pour qui le monde extérieur n'existait plus, parce qu'elles faisaient l'amour ?

Levant les yeux, il vit que les ciseaux qu'elle avait utilisés avaient été projetés contre le miroir.

— Quelque chose est arrivé, dit Belle. Un malheur. Elle avait besoin de moi, Ivo, et je n'étais pas là pour elle.

— Elle est repartie au squat.

— Pourquoi irait-elle là ? Elle sait que c'est le premier endroit où j'irai la chercher.

Etait-ce consciemment qu'elle était passée de « nous » à « je » ? se demanda Ivo.

— Elle veut que tu la retrouves, Belle. Regarde, son manteau est encore là. Elle ne l'a pas mis.

— Elle va geler.

— Viens, je vais te conduire.

— Non, répondit-elle fermement.

Si Belle devait choisir entre les deux — et Daisy l'obligerait à faire ce choix — la culpabilité la pousserait à tout sacrifier pour convaincre sa sœur qu'elle l'aimait. Même Ivo. Et son propre bonheur à elle.

— Elle voudra s'en prendre à quelqu'un. Rendre quelqu'un responsable du fait que, lorsqu'elle avait besoin de toi, tu étais au lit avec quelqu'un d'autre. Si je suis là, elle pourra se défouler sur moi.

— Je te désirais, Ivo. Ce n'était pas ta faute.

— Va la retrouver. Elle a besoin de toi. Moi, je peux être sacrifié.

Le squat était bien protégé contre les intrus — Ivo avait appelé le promoteur pour y veiller. Le travail avait été bien fait, et Daisy n'avait pu rentrer. Elle s'était avouée vaincue et était à présent assise, frissonnante, sur un mur bas.

Belle lui tendit le manteau qu'elle avait laissé, pour s'entendre dire, dans les termes les plus crus, de s'en aller. Elle répondit en enlevant son propre manteau et en posant les deux vêtements sur le mur, pour s'y asseoir à son tour.

— Veux-tu me dire ce qui est arrivé ?

— Qu'est-ce que cela peut te faire ?

— Si je m'en moquais, je ne serais pas là.

— Mais tu n'étais pas là !

— Quand cela ?

— Ce matin, quand l'agence a téléphoné.

— J'étais au travail, Daisy. Tu le sais bien. Qu'est-ce qu'ils voulaient ?

— Ils ont trouvé mon père.

— Quoi ?

— Ils ont téléphoné ce matin pour dire qu'ils l'avaient trouvé.

— Mais ils n'auraient…

— Quoi ? Pas dû me le dire ? C'est mon père !

— Je n'arrive pas à croire qu'ils te l'aient dit. Attends un peu.

— Ils ont cru que c'était toi. Une Mlle Porter ressemble bien à une autre, au téléphone. Ils avaient des nouvelles. Je n'allais quand même pas attendre que tu sois rentrée. Il est mort, Bella. Mon père est mort il y a six mois. Je suis allée voir la tombe. J'avais pris des fleurs. C'était horrible. Il n'y a pas d'épitaphe, pas de nom, juste un numéro.

— Oh, ma chérie. Tu n'aurais pas dû y aller seule. Je suis tellement désolée.

— Oh, arrête ! Tu t'en fiches ! Tu le haïssais, tu le rendais responsable de tout. Tu le détestais et tu te moques pas mal de moi. C'est Ivo qui t'intéresse, c'est la seule personne qui compte pour toi !

— Non...

— C'est vrai ! Il n'arrête pas de t'appeler. Quand tu lui parles, on ne te reconnaît plus ! Et quand je reviens chez toi, il est dans ta chambre ! Tu devais divorcer, pas faire l'amour avec lui au milieu de l'après-midi !

Ivo, qui les avait suivies, aurait trouvé cet emportement puéril plutôt comique s'il n'était pas directement concerné. Le « Non » désespéré de Belle lui avait glacé les os. Il avait compris que le problème était grave — l'acharnement mis à détruire la robe le prouvait — mais c'était pire que ce qu'il avait pu imaginer.

Lorsque Belle se tourna et le regarda, il comprit qu'elle allait sacrifier son propre bonheur, oublier cette renaissance de leur mariage, tout abandonner pour réparer la faute qu'elle avait commise à l'âge de quatorze ans. Sa sœur avait besoin d'elle à cent pour cent, et elle allait répondre à cette attente. Il ne pourrait rien y changer.

Il le savait, car il aurait fait la même chose pour Miranda.

— Aujourd'hui, il est arrivé une de ces choses qui se produisent parfois quand quelque chose d'important est fini, Daisy. On vit ce qui aurait pu être. Mais il est impossible de revenir en arrière.

Ces paroles démontraient clairement à Ivo qu'il était inutile d'attendre, qu'elle avait pris sa décision. Mais ses yeux, qui l'imploraient de la pardonner de faire passer Daisy en premier, disaient autre chose et, comme si elle devinait que son regard la trahissait, elle détourna les yeux.

— Tu es plus importante pour moi que quiconque, Daisy Porter. Personne ne doit jamais s'immiscer entre nous. Tu dois le croire.

Les larmes lui vinrent aux yeux en prononçant ces mots, mais Daisy, qui pleurait un homme qu'elle n'avait jamais connu et qui ne l'avait pas aimée, ne les vit pas.

— Tu devrais te coucher tôt, dit Belle.

Daisy était allongée, regardant la télévision, sur le divan qu'elle avait choisi, de couleur fuchsia, bien plus beau que celui du squat.

— Me coucher tôt ? Je ne suis plus une enfant !

« Alors arrête de te comporter comme telle, eut-elle envie de crier. Grandis ! Comme j'ai dû le faire. Comme Ivo… »

Elle se retint. C'était sa faute. Si elle avait été là, si elle s'était battue avec les services sociaux pour avoir un droit de visite, tout aurait peut-être été différent.

Si elle n'avait pas complètement perdu la tête

aujourd'hui, si elle n'avait pas songé qu'à elle-même, peut-être aurait-elle pu, petit à petit, rebâtir cette relation avec Ivo.

Au lieu de cela, Daisy, dans son besoin égoïste et désespéré, l'avait forcée à choisir entre elle et son mariage. Lorsqu'elle avait dit au revoir à Ivo, elle avait choisi Daisy.

Elle avait cru, un court instant, qu'il pourrait avoir une place dans leur nouvelle vie. Mais il ne comprenait que trop bien les difficultés qu'il y avait à s'occuper d'une personne que la vie avait si gravement perturbée au plan psychologique.

Les mots avaient été inutiles. Il lui avait facilité les choses en expliquant qu'il ne pourrait plus venir avant un certain temps. Il avait invoqué sa lourde charge de travail, les nécessités des affaires…

— Demain, c'est mon dernier jour sur le divan de l'émission du matin, Daisy. Je veux que tu sois avec moi.

— Quoi ? Mais non…

Elle se chercha une excuse.

— Mes cheveux !

— Les maquilleuses t'arrangeront cela !

— Mais qu'est-ce que je porterai ? Non, oublie cela. Tu n'as pas besoin de moi dans ton émission.

— Si je te l'ai demandé, c'est parce que je veux

192

que tu sois là. Que le monde entier sache que j'ai une sœur.

— Non merci !

Son refus était catégorique, se dit Belle.

— Tu n'as pas besoin de te punir pour la robe, Daisy. C'est fait, tu t'es excusée, il est temps de laisser cela derrière nous.

— Quoi ?

Mais Belle l'avait déjà entraînée dans la pièce où tous ses vêtements étaient accrochés, en attendant la construction d'un dressing définitif.

Elle n'avait touché à rien depuis que Daisy avait détruit sa robe. Elle avait simplement refermé la pièce à clé, incapable de faire face à ce que cet acte signifiait. L'espace d'un instant, elle avait cru qu'une seconde chance lui était offerte, pas seulement avec sa sœur, mais aussi avec Ivo. La vie, toutefois, n'était pas aussi simple.

Elle ne se pardonnerait jamais ce qu'elle avait fait à Ivo, en promettant de lui offrir ce dont elle n'était pas libre de disposer.

Elle avait voulu tout avoir.

Elle savait maintenant à quel point c'était impossible. Elle avait trouvé sa sœur. Avec le temps, elle trouverait qui elle était vraiment. Et Ivo, à présent que les barrières étaient tombées, trouverait quelqu'un d'autre.

Maintenant, comme sa sœur, elle devait aller de l'avant.

Elle choisit une robe bustier, qu'elle savait qu'elle ne porterait plus jamais et qu'elle gardait pour des raisons sentimentales.

— J'ai mis cette robe lors de ma première cérémonie télévisée, il y a des années. Je n'avais pas de tâche particulière à accomplir, je faisais juste partie du décor. Je me souviens encore m'être demandée ce que je faisais là.

Elle prit la paire de ciseaux qui se trouvait encore là où elle était tombée, et coupa la robe en deux, jetant les morceaux sur les lambeaux de celle déchirée par Daisy. Elle ignora le cri effaré de sa sœur et continua à promener sa main le long de la barre à laquelle pendaient toutes les autres.

— Celle-ci, continua-t-elle en prenant une robe décolletée grenat, je l'ai portée dans une rencontre avec des banquiers.

Les ciseaux firent leur œuvre, malgré les protestations de Daisy.

Belle continua, sortant un à un ses trésors d'une vie passée, racontant à Daisy les circonstances dans lesquelles elle avait porté chacune d'entre elles.

194

Elle prit finalement une simple colonne de soie grise, celle du soir où elle avait rencontré Ivo.

Celle-ci allait être la plus difficile à détruire, et pourtant elle était un symbole, une promesse faite à sa sœur, même si Daisy ne pouvait pas la comprendre.

Lorsqu'elle leva les ciseaux, Daisy lui prit le bras.

— Non ! Ne fais pas cela !

Puis elle tomba à genoux, prenant les morceaux de tissus comme si elle pouvait les recoller.

— Je suis désolée, Bella. Vraiment désolée.

— Ce n'est qu'une robe, Daisy. Elle n'a pas d'importance. Ce qui compte, c'est que tu comprennes que, désormais, c'est toi qui passeras en premier dans ma vie. Tu me crois ?

— Tu avais l'air d'une princesse, cette nuit-là. J'étais dans la foule devant l'hôtel, attendant que tu arrives. Je n'allais pas t'aborder, m'immiscer dans ta vie, mais je voulais te voir. Tout le monde t'a admirée, quand tu es descendue de voiture.

— Je tremblais, tellement j'étais nerveuse.

— Tremblais ? Non, tu étais si belle. Si parfaite. Tu m'as regardée et envoyé un baiser. Pourtant, tu ne savais pas que j'étais là…

— Je pensais à toi.

— Vraiment ?

Et à Ivo…

Non. Elle ne devait plus penser à lui. Elle ne se pardonnerait jamais ce qu'elle lui avait fait, mais c'était un homme. Il souffrirait, mais il survivrait sans elle.

Daisy ne le pourrait pas.

— Je pensais que tu regardais peut-être. J'espérais que, si tu me voyais, tu savais que je faisais cela juste pour toi.

— J'aurais dû te faire confiance. Je pensais…

— Je sais ce que tu pensais. Que je t'avais abandonnée, que je n'étais pas là quand tu avais eu besoin de moi. Mais cela n'arrivera plus jamais. Quoi qu'il puisse survenir, je serai là pour toi. Demain, nous nous occuperons d'une pierre tombale pour ton père, d'accord ?

Elles se serrèrent l'une contre l'autre. Belle sut qu'une crise était passée. Peut-être pas la dernière, mais en tout cas, la plus grave.

Ivo resta chez lui pour voir la dernière émission de Belle. Il n'en manqua pas une minute : les informations, l'interview d'une célébrité, un chauffeur de taxi de cinquante ans qui avait écrit un livre, une femme atteinte d'un cancer qui faisait une campagne pour un nouveau traitement, la météo.

Tous les ingrédients habituels que Belle liait avec sa chaleur, son charme, et aussi un soupçon de force psychologique qu'il n'avait jamais remarquée. Peut-être était-ce là un trait nouveau, surgi dans l'Himalaya. Il ne l'en aimait que plus. Il espérait que sa sœur savait quelle chance elle avait.

Pour son dernier jour, la chaîne présentait une rétrospective de ses meilleurs moments, en commençant par le jour où on l'avait découverte.

Puis son visage réapparut à l'écran, en direct.

— Je travaille à ce programme depuis neuf ans, dit-elle, et s'il y a une chose que j'ai apprise, c'est que le cœur de ce programme n'est pas moi, mais vous, les téléspectateurs qui prenez le temps de nous regarder chaque matin, que ce soit quelques minutes ou pendant une heure. Ce sont vos vies qui sont au cœur de cette émission. Mais aujourd'hui, pour ma dernière apparition, je vais vous demander de m'excuser si je prends quelques minutes pour vous parler de moi. En fait, pas seulement de moi. C'est l'histoire de deux petites filles…

Et elle conta au monde l'histoire de sa vie. De ses horreurs, mais aussi de l'amour dont elle était remplie. D'une sœur perdue et retrouvée.

Lorsqu'elle termina son histoire, la caméra se tourna pour montrer Daisy assise à côté d'elle, sur le divan. Toute maigre, dépourvue des rondeurs de sa sœur, elle lui ressemblait étonnamment. Les maquilleuses avaient dû accentuer ce qu'elles avaient de semblable, et pourtant il y avait quelque chose…

Il y eut un silence complet, puis les spectateurs se mirent à applaudir à tout rompre.

Ivo ne put détacher ses yeux de l'écran, même quand la porte s'ouvrit pour laisser entrer Miranda.

— Je regardais dans la pièce à côté. Elle est vraiment extraordinaire, ta Belle, non ?

— Ce n'est pas ma Belle.

Elle ne lui avait appartenu que fugitivement, durant ce moment inoubliable, la veille, dans l'après-midi, quand elle l'avait embrassé, lui avait dit « je t'aime », avant de l'emmener là où il n'aurait jamais imaginé qu'il puisse aller… Jamais il n'oublierait ce qu'il avait vécu là.

— C'est vrai qu'elle est extraordinaire, parvint-il à articuler.

— J'étais si sûre qu'elle te ferait du mal. Je pensais… qu'elle ne s'intéressait qu'à ton argent, mais ce n'était pas cela.

— Non. Ce n'était pas cela.

— Ne la laisse pas partir, Ivo.

— Sa sœur a plus besoin d'elle que moi.

— Peut-être pour le moment, mais Belle aura aussi besoin de toi. Nous avons tous besoin de quelqu'un à qui nous accrocher, quand les choses vont mal. Sa sœur la quittera, Ivo. Elle fera sa vie.

— Oui, tôt ou tard.

Cela n'avait pas d'importance. Dans une semaine, dans un an, dans une autre vie. Il serait toujours là, si Belle avait besoin de lui. Mais il doutait que ce soit le cas un jour.

— Que va faire sa sœur ?

— Daisy ? Je n'en ai aucune idée. En fait, j'avais dit à Belle que tu pourrais lui trouver un emploi.

— Merci de l'attention.

C'était sa réponse standard, quand il lui refilait un travail peu passionnant.

— Non, insista-t-elle, je le pense vraiment. Merci d'avoir cru en moi. De t'être occupé de moi. De m'avoir sauvée… J'irai lui parler. Découvrir ce qu'elle veut faire.

— Elle est fragile.

— Je ne la briserai pas ; en fait, il lui sera peut-être plus facile de me parler qu'à Belle. Et elle ? Qu'est-ce qu'elle va faire ?

— Je l'ignore. Elle envisageait de tourner un docu-

199

mentaire sur l'adoption. Je lui ai suggéré de créer sa propre société de production.

— Je ne la vois pas là-dedans.

— Ne t'immisce pas dans ses projets, Miranda.

— Me dis-tu cela parce que tu ne veux pas que je m'en mêle ? Ou parce que tu peux compter sur moi pour faire l'inverse de ce que tu dis ?

— Tu es assez grande pour ne plus te livrer à de telles bêtises.

— Vraiment ?

— Sois un peu sérieuse.

— C'est plus fort que moi. Bon, j'aurai un entretien avec Daisy. Mais pas tout de suite. Je vais attendre une semaine ou deux. Leur laisser le temps d'être gagnées par l'ennui, à force de jouer à la famille heureuse. Ne viens pas troubler mes plans en envoyant des fleurs ou des e-mails, d'accord ?

— Tu sais bien que je ne joue pas au psychiatre amateur.

Pas de fleurs. Pas de messages.

Juste le vide.

11.

Belle s'était mise à haïr la sonnette de la porte d'entrée. Non pas à cause de ceux qui venaient — son agent, les gens de la chaîne de télévision, qui semblaient ne pas comprendre le sens du mot « non » — mais à cause de celui qui ne venait pas.

Jusqu'à quel point une femme peut-elle être stupide ?

D'abord, elle avait quitté Ivo, et ensuite, après qu'il avait tout dévoilé de lui-même avec la plus grande franchise, admis qu'il était prêt à revenir sur la décision qu'il avait prise sans vraiment en mesurer les conséquences, elle l'avait rejeté. Elle avait été très claire : sa sœur passerait en premier, et Ivo en second. Aucun homme n'allait accepter cela et revenir vers elle. Surtout un homme comme Ivo Grenville.

Elle appuya sur le bouton de l'Interphone.

— Oui ?

— C'est Miranda, Belle. Je peux monter ?

Elle lui ouvrit. La sœur d'Ivo ne pouvait pas le remplacer, mais elle le côtoyait, pouvait dire à Belle comment il allait…

— Très beau divan, dit Miranda en entrant dans le salon. Il attire bien le regard. Ivo disait que votre appartement avait un certain charme.

— Oh vraiment ? Qu'a-t-il dit d'autre ?

— Je dois l'avouer, j'ai cru qu'il était aveuglé par la passion, mais en fait, il a raison. Bien sûr, il faut tout refaire, transformer cet appartement en demeure familiale. Peut-être même convertir le rez-de-chaussée pour que Daisy ait son chez-soi donnant sur le jardin…

— Que puis-je faire pour vous ? demanda Belle un peu sèchement, pour ne pas se laisser entraîner dans le jeu auquel Miranda devait certainement se livrer.

— Rien. C'est votre sœur que j'étais venue voir. Je crois savoir qu'elle recherche un emploi.

Elle se tourna vers Daisy.

— Je vous ai vue à la télévision le mois dernier. Vous avez le sourire de votre sœur. Je suis sûre que vous allez de plus en plus lui ressembler, à tous points de vue. La maternité accomplit des merveilles. Je suis Miranda Grenville, la sœur d'Ivo.

— Ivan le Terrible et Cruella De Ville, répondit Daisy. Vous êtes bien assortis.

— Oh, je vois ! Le charme de Belle avec une pointe d'esprit. Nous allons bien nous entendre.

Si étrange que cela puisse paraître, cela n'était pas faux. Peut-être les deux femmes s'étaient-elles reconnues un point commun. Et Belle devait admettre que cette proposition d'emploi ne tombait pas si mal. Elle avait essayé de discuter avec Daisy de possibles études à l'université, mais sa sœur avait refusé ne serait-ce que d'aborder la question.

— Auriez-vous du café, Belle ?

Celle-ci eut envie de répondre qu'elle savait où s'en faire servir dans le quartier, mais tint sa langue. Elle était plutôt contente que Miranda soit son alliée dans l'intérêt de Daisy, même si la sœur d'Ivo ne s'était jamais montrée très amicale à son égard.

— Bien sûr. Daisy ? Est-ce que tu veux quelque chose ?

— Il te reste du thé à la camomille ?

Elle alla préparer les boissons dans la cuisine. Lorsqu'elle revint, Miranda et Daisy, à son grand étonnement, étaient absorbées dans une conversation.

— Bella, tu veux vraiment nous faire mourir de froid ?

— Cela sent tellement le renfermé ici. Ou c'est peut-être moi qui ai trop chaud.

Les deux femmes la regardèrent comme si elle avait l'air malade.

— Pourquoi n'allez-vous pas vous allonger un peu ?

— Je vais bien, répondit Belle.

Mais lorsque Miranda servit le café, elle se rendit compte que ce n'était pas le cas, et eut juste le temps d'arriver aux toilettes avant de vomir.

Puis elle revint et annonça simplement :

— Ce n'est rien. Je vais juste m'allonger un instant.

Miranda était encore là lorsqu'elle émergea du sommeil, une heure plus tard, avec une forte sensation de faim.

— C'est une pizza que je sens… ?

— Nous en avons fait livrer une. C'est Daisy qui a choisi.

— Super ! Elle est aux anchois ?

Elle en vit un qui restait et l'avala aussitôt.

— Belle ! protesta Daisy. Tu détestes les anchois !

— J'avais juste besoin de quelque chose de salé.

Miranda changea de sujet.

— Je suis contente que vous soyez revenue avec

nous. Daisy et moi sommes tombées d'accord. Il ne manquait plus que votre accord.

— Pourquoi donc ?

— C'est votre campagne pour les enfants abandonnés. Votre expédition dans l'Himalaya lui a valu un retentissement considérable. Même la classe politique s'est crue obligée d'entrer dans le débat. Il faut faire quelque chose. Le tout est de savoir quoi.

— Vous voulez que je vous dresse une liste ?

— J'espérais plus que cela, pour être honnête. Il faudrait quelqu'un qui emmène une équipe de tournage et montre à la face du monde à quel point la situation est grave. Une ambassadrice pour les enfants en difficultés, si vous voulez. Vous êtes la mieux qualifiée pour cela.

— Miranda veut que j'aille avec elle pour faire les recherches préliminaires au tournage. Comme assistante. Nous ferons aussi des reportages à l'étranger !

— Tu es enceinte, Daisy.

— Nous sommes au XXIe siècle. Et ce sera pendant les trois mois du milieu de ma grossesse.

— Je m'occuperai d'elle, Belle.

— Vraiment ? Au fait, était-ce votre idée ?

— Vous croyez que c'est Ivo qui est derrière cela ? Sachez qu'il m'a interdit de demander votre aide !

— S'il te plaît, Belle, s'écria Daisy. Accepte !

Elle pesa le pour et le contre. Daisy, boudeuse et malheureuse, qu'elle devrait supporter jour et nuit. Ou Daisy qui aurait un métier, un avenir.

Et il ne s'agissait pas seulement de Daisy. C'était aussi une chance qui lui était donnée de faire quelque chose d'important.

— Je crois qu'il faut te faire établir un passeport.

— Tu l'as vue ? Comment va-t-elle ? interrogea Ivo.

— Elle n'a pas l'air très bien. Rien de grave, je suppose. Tu avais raison, à propos de son appartement. Sais-tu que celui des voisins est à vendre ?

— Il ne l'est plus.

— Tu l'as acheté ? Quand as-tu organisé cela ?

— J'ai fait une offre le lundi qui a suivi son départ.

— Vraiment ? Elle est au courant ?

— Pas encore. Autant te dire que j'ai acheté les deux autres appartements. Il ne m'en manque plus qu'un pour que tout le bâtiment m'appartienne.

— Tous les appartements étaient à vendre en même temps ?

— Quand on offre assez d'argent, tout est à vendre.

— Et quel est ton plan ?

— Complètement démoli, si tu veux savoir.

— Oh, je n'en suis pas sûre. Quand j'aurai emmené la terrible Daisy en Amérique du Sud, tu pourras t'installer au rez-de-chaussée et assiéger ton épouse. Offre-lui des pizzas. Avec des anchois à profusion.

— Elle déteste les anchois.

— Tiens ! C'est intéressant !

— Mais qu'est-ce qui se passe en bas ? demanda Belle.

Il y avait assez de bouleversements comme ça. Daisy avait déjà refait toute la décoration de l'appartement et rempli le réfrigérateur. Belle était malade rien que d'y penser.

— Les locataires du rez-de-chaussée s'en vont, expliqua Daisy. Ils ont acheté un logement très chic à Bankside.

— Alors il ne reste plus que nous ?

Ce fut alors que Daisy plaça devant elle un petit paquet, bien emballé.

— Qu'est-ce que c'est que cela ?

— Un cadeau de Noël, avec un peu d'avance. Tu pourrais le trouver utile.

— C'est très gentil. Merci.

Elle défit le papier, et regarda avec un visage confus ce qui se trouvait à l'intérieur.

— C'est une plaisanterie ?

— Non, c'est un test de grossesse. Le dernier modèle. Il n'y a plus de lignes bleues ou de croix. C'est écrit « enceinte » ou « pas enceinte ».

— Mais je ne suis pas enceinte !

— Tu as la nausée tout le temps, répliqua Daisy. Les placards sont pleins d'anchois, comme si tu croyais que l'espèce allait disparaître. Tu deviens verte quand je parle de café. Et je t'ai vue hier manger un concombre mariné. Il y a deux mois, c'était moi. Sauf pour le concombre.

— Je les aime depuis toujours !

— S'il te plaît, arrête de fuir la vérité !

— Mais tu ne comprends pas. Il est impossible que je sois enceinte !

— Tu en donnes pourtant bien l'impression.

— Arrête ! Je ne peux pas... Ivo ne peut pas...

— Quoi ?

— Il ne peut pas avoir d'enfant. Il s'est fait faire une vasectomie.

— C'est vrai ? Alors qui a été infidèle ?

— Non !

— Je plaisantais, Bella. La salle de bains est par

là. Veux-tu que je vienne avec toi lire les instructions ?

— Tout ceci est ridicule.

— Alors prouve-le !

Belle était assise sur le bord de la baignoire, fixant ce simple mot d'un air abasourdi. Enceinte.

— Bella ? Je peux venir ?

— Ton test ne marche pas.

— Oh, Bella…

— Non, il doit être défectueux. Cela ne peut pas être vrai. Il faudrait un miracle.

Ivo en avait imploré un. Pour elle. Pour lui, rien n'avait changé.

— Admettons, dit Daisy. Je peux aller en chercher un d'une autre marque.

— Comme tu veux. Si cela peut te convaincre.

Une heure plus tard, un lot d'emballages les entourait. Tous les tests donnaient le même résultat, avec des lignes bleues, des lignes roses, des croix roses.

Enceinte. Enceinte. Enceinte.

Belle, incapable de parler, se contentait de secouer la tête.

— Je dois partir en Amérique du Sud après Noël, dit finalement Daisy, mais je ne sais pas si je vais pouvoir te laisser seule.

— Ne sois pas stupide. Je m'en sortirai très bien.

— Non, je ne crois pas. Appelle Ivo ou Miranda pour qu'ils trouvent quelqu'un qui viendra s'occuper de toi.

— Daisy… Tu sais que je ne te laisserai jamais tomber ? Que je serai toujours là pour toi ?

— Oui, Bella, je sais. Eh bien, qu'attends-tu ? Appelle Ivan le Terrible et apprends-lui que, vasectomie ou pas, il va être papa.

Depuis toujours, Ivo travaillait comme un forcené pour combler le vide de sa vie. Pour la première fois, cela ne marchait plus.

Il avait cessé d'aller au bureau, donnant comme excuse le fait qu'il avait besoin de s'occuper de son immeuble à Camden.

Mais, à présent qu'il était dans les pièces vides, il lui semblait que plus rien ne pouvait vraiment l'intéresser.

Son téléphone portable sonna pour l'avertir qu'il avait un message. Son premier réflexe fut de ne pas y prêter attention, mais il y avait des gens qui comptaient sur lui, dont il était responsable. Il le sortit de sa poche.

La journée n'avait pas très bien commencé. Voilà qu'elle devenait encore pire.

On frappa à la porte d'entrée de l'appartement. Belle alla ouvrir.

— Ivo ?

— Ton message disait que tu désirais me voir. Pour discuter de l'avenir.

— Mais je n'ai envoyé le texto qu'il y a quelques minutes.

— J'étais au rez-de-chaussée.

— Mais il est vide ! Depuis des semaines…

— Il ne l'est plus. Je suis venu prendre possession de ma dernière acquisition. Pourquoi veux-tu me voir, Belle ? Si c'est pour…

— Tu as acheté l'appartement ?

— Et même tout l'immeuble. Sauf cet étage. Cela a-t-il de l'importance ?

— Cela dépend de tes raisons. Vas-tu emménager ?

— Oui. Non… Belle, si tu veux parler d'un divorce…

— Quoi ? Non.

Elle se tourna vers une petite boîte qui était sur la table. Elle la prit et la lui présenta.

— C'est ceci.

— Qu'est-ce que c'est ?

— Ouvre et regarde.

Ce qu'il fit. Il n'avait jamais vu de tels objets auparavant, mais il n'était pas difficile de deviner ce qu'ils étaient. Surtout avec le mot qui apparaissait au milieu.

« Enceinte. »

— Oh, mon amour… Qu'as-tu fait ?

— Moi ?

— Es-tu allée voir un donneur ? Etais-tu désespérée à ce point ?

— Non. Tu ne comprends pas, Ivo ? Je n'ai fait l'amour qu'avec toi. C'est ton bébé, Ivo. Mon bébé. Notre bébé.

— Notre bébé ? Mais…

— Tu m'avais pourtant affirmé que ton médecin t'avait présenté la vasectomie comme irréversible.

— Elle l'est. Enfin, presque. Je me suis renseigné depuis. L'opération de réversion, la vasovasostomie, ne marche que dans un cas sur quatre : une personne vasectomisée développe souvent des anticorps contre ses propres spermatozoïdes. J'ai revu récemment le médecin qui a pratiqué l'intervention sur moi. Il m'a dit qu'il existait des cas d'échec de la vasectomie, lorsque l'organisme procède à des recanalisations spontanées. On redevient alors fertile sans le savoir. Mais c'est rarissime. Mon chirurgien m'a dit n'avoir

212

jamais rencontré le cas, en trente ans de métier. Il l'a seulement lu dans des publications médicales. Lorsque je lui ai demandé si cela pouvait m'être arrivé, il m'a proposé de faire des tests, mais en m'avertissant tout de suite de ne pas me bercer d'illusions. Selon lui, les chances étaient infimes. Je n'ai pas encore eu le résultat de l'examen. Il faut dire que je ne me suis pas précipité pour l'obtenir : je n'y croyais guère.

— Pourtant, ce doit être la bonne explication, s'il n'y en a pas d'autre… Nous nous en serions aperçus plus tôt si je n'avais pas pris la pilule pendant trois ans.

— Mais… tu voulais un bébé. Pourquoi as-tu pris la pilule ?

— J'avais vu l'expression de ton visage, Ivo. Tu n'as pas eu besoin de me dire que tu ne voulais pas d'enfant. Après que tu m'avais laissée sur notre île pendant notre lune de miel, j'ai passé vingt-quatre heures à me faire peu à peu à cette idée. Après ce temps de réflexion, j'ai décidé de rester aussi long-temps que tu voudrais de moi. Par pour ton argent. Pas pour la sécurité. La seule raison, c'était que je t'aimais.

— Je ne savais pas…

Elle l'arrêta d'un baiser. L'espace d'un instant, cela lui fit tout oublier.

Ensuite, il lui demanda :

— Tu as arrêté de prendre la pilule quand tu es partie ?

— A quoi aurait-elle servi ? Je n'ai couché avec personne d'autre.

— Garde cette habitude. Et pour notre bébé…

— Ivo, les enfants ont besoin de parents qui les aiment. Je sais que ce n'est pas ce que tu voulais. Tu dois savoir que je peux assumer cela toute seule.

C'était une question. Elle avait besoin de savoir. Elle en avait le droit.

— Tu n'auras plus jamais besoin d'assumer quoi que ce soit toute seule, Belle. Ce qui arrive là est un miracle. Mais le plus grand miracle, ce n'est pas que tu m'aies aimé suffisamment pour rester, mais que tu aies trouvé la force de partir. Forcé à reconnaître la vérité. Je t'aime, Belle Davenport. Ou… est-ce que tu me dis que je n'ai pas le choix ? Que ta sœur passera toujours en premier ?

— C'est Daisy qui m'a poussée à t'appeler.

Ils restèrent silencieux quelques instants.

— Mon plan, expliqua Ivo, était de restaurer cet immeuble pour en faire une grande demeure familiale. De la rendre si accueillante que tu ne pourrais pas résister à l'envie de t'y installer.

— Et ta maison de Belgravia ?

— Veux-tu y retourner ?

— Jamais.

— Alors oublions-la.

— Tu en es bien certain ?

— Oui. Je voudrais juste pouvoir effacer ces trois années passées, pour que nous puissions repartir de zéro.

— Tu penses vraiment cela ?

— De tout mon cœur.

— Alors renouvelons nos vœux de mariage !

Épilogue

Tandis que Miranda et Daisy étaient parties en voyage pour trouver les meilleurs sujets de reportage, Ivo et Belle passèrent un mois merveilleux, à deux.

Ils mirent au point l'aménagement de leur nouvelle maison, se détendirent, découvrant les plaisirs simples du mariage pour la première fois.

La séparation fut plus pénible pendant le tournage, mais Belle montra une confiance en elle qu'elle n'avait jamais connue. Le documentaire fut un triomphe : la presse lui avait déjà consacré des critiques élogieuses, lorsque le temps vint, pour Belle et Miranda, d'aider Daisy à mettre au monde son bébé.

Belle avait désormais un neveu.

Puis ce fut le tour de celle-ci. Ivo assista à l'accouchement avec un calme, une sérénité qui montraient bien à quel point il avait changé.

Ce fut avec des larmes de joie qu'il prit, pour la première fois, sa petite fille dans ses bras.

— Il n'est pas un homme sur terre qui vive un plus grand bonheur, dit-il simplement.

PROCHAIN RENDEZ-VOUS LE

15 mai 2008

collection *Horizon*

PASSION EN AUSTRALIE, de Jessica Hart • n°2165
En se rendant en Australie afin de convaincre sa sœur Lucy de rentrer à Londres au chevet d'un ami malade, Meredith ne se doutait pas qu'elle y resterait plusieurs semaines. Obligée de remplacer Lucy au ranch Wirrindago pendant son absence, elle se voit en effet confier la garde d'Emma et Mickey, les neveux de Hal Granger, le séduisant propriétaire des lieux...

UN ENFANT INATTENDU, de Susan Meier • n°2166

Bébé câlin

Quand après une seule nuit de passion, Grace Mac-Cartney lui apprend qu'elle est enceinte de lui, Danny Carson a l'impression d'avoir été piégé. Aussi, malgré son attirance pour Grace, refuse-t-il de la voir. Pourtant, quand après dix mois de séparation, elle lui présente Sarah, leur fille, il sent, malgré lui, son cœur fondre de tendresse pour cet adorable bébé...

LE BONHEUR D'UN PÈRE, de Jessica Steele • n°2167

SUPER PAPA

Quand Pip, sa nièce de onze ans, la supplie de l'aider à découvrir l'identité de son père, Leyne Rowberry finit par accepter, même si Maxine, sa sœur, a toujours refusé de lui révéler ce secret. Bientôt, elle retrouve la trace d'un certain John Dangerfiled, un riche homme d'affaires, qui se montre des plus désagréables avec elle, et nie farouchement être le père de Pip...

+ 1 ROMAN RÉÉDITÉ GRATUIT
LES NOCES D'UNE HÉRITIÈRE, de Susan Meier

AU PREMIER REGARD, de Lucy Gordon • n°2168
Célèbre productrice pour la télévision anglaise, Della Hadley n'hésite pas à se rendre à Naples lorsqu'on lui conseille de collaborer avec l'archéologue italien Carlo Rinucci. Là, dès le premier regard, elle sent que sa vie vient de basculer : jamais elle n'a rencontré un homme si séduisant. Pourtant, elle comprend très vite que tout les sépare...

+ 1 ROMAN RÉÉDITÉ GRATUIT
LE VŒU DE MAUREEN, de Myrna Mackenzie

Attention, numérotation des livres pour le Canada différente : n°887 au n°890.

L'ASTROLOGIE EN DIRECT
TOUT AU LONG
DE L'ANNÉE.

(France métropolitaine uniquement)
Par téléphone 08.92.68.41.01
0,34 € la minute (Serveur JET MULTIMÉDIA).

Composé et édité par les
*éditions*Harlequin
Achevé d'imprimer en mars 2008

BUSSIÈRE

GROUPE CPI

à Saint-Amand-Montrond (Cher)
Dépôt légal : avril 2008
N° d'imprimeur : 80296 — N° d'éditeur : 13488

Imprimé en France